El contrato social

• COLECCIÓN FONTANA •

Rousseau

El contrato social

o principios de derecho político

Traducción
JORGE CARRIER VÉLEZ

Prólogo y presentación
FRANCESC LL. CARDONA
Doctor en Historia y Catedrático

EDICOMUNICACION, S.A.

Título del original en francés:
Contrat social ou principis du droit politique

Diseño de cubierta: Quality Design

Edita: Edicomunicación, s. a.
C/. de las Torres, 75.
08042 Barcelona (España)

Impreso en España / Printed in Spain

I.S.B.N: 84-7672-686-4
Depósito Legal: B-4444-94

Impreso en:
TALLERES GRÁFICOS SOLER
Enric Morera. 15
Esplugues de Llobregat (Barcelona)

ESTUDIO PRELIMINAR

Jean-Jacques Rousseau: El hombre y su mundo

Nace el 28 de julio de 1712 en Ginebra. Su madre muere en el lecho de posparto, nueve días después. Su padre, Isaac, de origen hugonote y relojero de oficio, olvida tan sensible pérdida en brazos de Susanne Concerut, la "tía Suzon". Abandonado por el relojero, que ha de marchar de Ginebra, es recogido por un tío materno que lo envía junto con su hijo al campo, a casa de un pastor calvinista.

De los diez a los doce años, el pequeño Rousseau es sometido, por primera y única vez en su vida, a una disciplina escolar. Vuelto a Ginebra, entra al cuidado de un escribano y más tarde como aprendiz de un grabador que le pega y a quien roba sus espárragos y fruta. Su insaciable afán por los libros le lleva a leer todo lo que por casualidad cae en sus manos y gasta su pequeño salario en alquilar libros, que su "amo" quema en cuanto puede cogérselos. Tiene los primeros escarceos amorosos con dolor y violencia, lo que le deja un deseo masoquista de ser maltratado.

Una circunstancia fortuita emancipa a Rousseau de la tiranía. Un hermoso domingo de marzo de 1728, al regresar de una escapatoria al campo, encuentra cerradas las puertas de la ciudad. Interpretándolo como una señal del destino, emprende desde entonces a una vida errante, que es lo que más le gusta.

Tiene dieciséis años y vagabundea por tierras de Saboya que pertenecen al rey de Cerdeña. En Annency encuentra una hermosa dama, Françoise-Louise de Warens, que tiene como misión convertir al catolicismo a los descarriados. Prendado de su belleza, Rousseau se deja convertir y marcha a pie a Turín para consumar su abjuración.

Después de ser bautizado, sigue vagabundeando por las calles de la capital piamontesa como era su gusto. Nuevo "flirt" con una comerciante morena, Borile. Después entra al servicio de la señora de Vercellis. Cuando ella muere, se apropia de una condecoración ya vieja que ofrece a la sirvienta Marion en señal de amistad. El robo es descubierto, Rousseau acusa a la inocente Marion y ambos son despedidos. El recuerdo de esta cobarde acción le perseguirá toda su vida.

Siguen las aventuras, pero cuando su imprudencia lo deja sin recursos, piensa de nuevo en madame de Warens, la "mamá", que de Annency se ha trasladado a Chambéry. Vuelve a ella y, según propia confesión, pasa tres veranos deliciosos en su casa de campo de Les Charmettes. Ha fracasado su intento de estudiar en el seminario de Annency para clérigo, aconsejado por la propia "mamá"; atraído por la música, ha sido cantor en la escolanía de la catedral de dicha ciudad, maestro de la música en Lausanne y Neuchâtel, empleado del Catastro...

Corre el año 1732, Rousseau da lecciones de música y se transforma en amante y hombre de confianza de madame de Warens. El contacto íntimo con esta mujer le espabila y a la vez hace pulir sus formas e ideas, Rousseau reforma su educación y desarrolla y completa el fárrago de conocimientos acumulados al azar de su vida aventurera. En 1736 va a Ginebra para recibir la parte de la herencia materna que le ha correspondido; al año siguiente marcha a Montpellier, con objeto de curarse de una supuesta enfermedad de corazón.

Su actitud hacia el bello sexo no cambia. Durante el viaje, se deja seducir por la voluptuosidad de madame de Larnage. Al regresar junto a madame de Warens, se da cuenta de que ha sido suplantado en su puesto de amante, cosa que le alivia, puesto que siempre ha preferido tratarla como "mamá", no como mujer. Gracias a ello, se dedica de lleno a su instrucción autodidacta.

Hasta aquí el primer período de su vida, en el que destaca su indolencia más supina, ahora se abre el segundo período en el que Rousseau lucha con firmeza para labrarse un futuro estable.

En 1739 solicita una pensión del gobernador de Labage y, más tarde, presenta un proyecto de transporte de mercancías entre Francia, el norte de Italia y Europa Central. En 1740 parte para Lyon y entra como receptor de los dos hijos del general M. de Mably. Al año siguiente, impaciente por conquistar gloria y fortuna, parte hacia París con un sistema de notación musical cifrada que, en su opinión, debía asegurarle una y otra.

Tiene entonces 29 años, presenta en la Academia de las Ciencias su proyecto, pero aunque el éxito no le acompaña, poco después lo publica. Entabla entonces amistad con Diderot y se emplea como secretario del recaudador de impuestos de Dupin. Todo esto no le impide seguir dedicándose a la literatura y a la música, incluso empieza la composición de una ópera: *Las musas galantes* (*Les Muses galantes*). Sale para Venecia como secretario del embajador de Francia. Pronto abandona a éste, que le acusa de insolente y de mal lacayo, y deprimido por el fracaso de su aventura amorosa con la cortesana Zuliette regresa a París, otra vez sin dinero. En la capital se pone a copiar música para sobrevivir.

Sin embargo, desde su anterior estancia parisina se había ganado amigos y amigas. Posee la mirada ardiente y el rostro atractivo y, a pesar de lo que confiese después, se le quiere. Diderot le encarga artículos de música para *La Enciclopedia*. Conoce a Fontenelle y a Marivaux; entra en relación con Condillac. Refunde para la Corte una comedia de Voltaire y una ópera de Rameau. Penetra en el gran mundo, pero al mismo tiempo, hacia 1745, intima con una criada de veinticinco años prácticamente analfabeta: Thérèse Lavasseur. Esta será en adelante su compañera. Unión desigual que fue el tormento de su vida. De ella nacerían cinco hijos, todos ellos abandonados sucesivamente en el hospicio.

Un día de verano de 1749, en que fue a Vincennes a visitar a Diderot, que entonces estaba allí encarcelado, Rousseau leyó en el *Mercure* la convocatoria de un concurso, organizado aquel año por la Academia de Dijon, sobre el tema: “Si el progreso de las Ciencias y de las Artes había contribuido a corromper o a depurar las costumbres". La paradoja desarrollada en el trabajo que presentó a este concurso le hizo saltar a la fama. La Academia de Dijon premia su trabajo, que se publicará a fines de 1750. Poco ha tenido que hacer para realizarlo, sino mirar a su interior y a su pasado. Esta introspección le llevará de nuevo al calvinismo.

Ha alcanzado la gloria, pero una dolencia renal crónica se le agrava. Cree encontrar la solución para sus males en la renuncia al lujo que había saboreado y en su vuelta al humilde oficio de copista de música. En 1752 se representa con enorme éxito su intermedio musical *El adivino de la aldea* (*Le Devin du village*). Después compone un prefacio para su *Narciso*, comedia que tiene esbozada desde 1729.

Quentin la Tour, el gran pintor francés dieciochesco, terminará su magnífico retrato del escritor en 1753, año en que otra vez el *Mercure* publica el nuevo tema del concurso propuesto por la Academia de Dijon: "Cuál es el origen de la desigualdad de los hombres y si se justifica por la ley natural". Rousseau pone manos a la obra en la redacción de este segundo Discurso.

En 1754 sale para Ginebra con Thérèse para convertirse a la religión de su infancia y recobrar la ciudadanía ginebrina, cosa que le conceden. Durante su estancia trabaja en un proyecto sobre las instituciones políticas. Inestable, vuelve a París, y en 1756 madame d'Épinay le ofrece la residencia de l'Ermitage, junto al bosque de Montmorency y no lejos de la capital.

Era l'Ermitage un lugar retirado de las gentes, solitario; lugar que invitaba a la meditación. En este retiro escribió la primera parte de *La nueva Eloisa* (*La Nouvelle Héloise*), novela antifrancesa, crítica de las costumbres de la época. El ambiente era el más propicio para el escritor, pero madame d'Épinay estaba enamorada de él y esto le estorbaba; era un sentimiento contradictorio: Rousseau tenía celos de M. de Grimm, otro de los amigos íntimos de madame d'Épinay. La historia se complica con una cuñada de ésta, con quien Rousseau inicia unos embriagadores amoríos: al final el pensador riñe con todos y se marcha del lugar.

Sin embargo se instala cerca, en Montmorency, aceptando la hospitalidad del mariscal de Luxembourg. Allí terminó la primera versión del *Emilio.* Se ha indispuesto también con Voltaire porque éste ha contestado la *Carta sobre la Providencia* del ginebrino con el *Cándido.*

Entre 1760-1761 escribe *El Contrato Social* y redacta otras dos versiones del *Emilio.* Publicado en Holanda el primero, es prohibido en Francia, mientras que el segundo, impreso en París, es denunciado ante el Parlamento. Éste manda quemar la obra y dicta auto de prisión en contra del autor. M. de Luxemburgo le aconseja la huida. Rousseau se refugia en Suiza. Allí encuentra un asilo encantador en un rincón del condado de Neuchâtel. Pero un muy intolerante pastor protestante amotina contra él a los campesinos: éstos apedrearon los cristales de su residencia y Rousseau, intimidado, tuvo que esconderse en la isla de Saint-Pierre, pero un decreto del Senado de Berna le expulsó de aquel lugar.

Atraviesa París (1765) y pasa a Inglaterra, donde el filósofo David Hume le ofrece una casa en el condado de Derby; pasa un año en aquel valle fresco y boscoso, pero se pelea con Hume mientras trabaja en la redacción de los dos primeros libros de las *Confesiones.*

La manía persecutoria latente en él se agrava. Se imagina que existe una conspiración de todos sus antiguos amigos, en complicidad con todo el género humano, para humillarle, deshonrarle y calumniarle. Vuelve a Francia y pasa un año con nombre supuesto en una finca del príncipe de Conti y después, como si le acosaran, se refugia en el Delfinado, donde el 30 de abril de 1768 contrae matrimonio con Thérèse Levasseur. Se establece después en Monquin, cerca de Bourgoin, y se entrega al solaz de la herborización y la botánica. Continúa y casi concluye las *Confesiones.*

En 1770 vuelve a París. Se instala en la calle Platerie 52, cuarto piso, hoy calle de J. J. Rousseau. Reanuda sus actividades como copista de música a diez sueldos la página; las personas que quieren verlo se disfrazan de clientes para forzar su puerta. Rousseau rechaza brutalmente a los curiosos, a los admiradores y a los protectores que se le ofrecen. En sus delirios persecutorios cree que las verduleras le venden más barato para humillarle con limosnas, las carrozas se desvían para aplastarle o salpicarle de barro, la tinta que le venden es blanca, para impedir que pueda escribir su justificación; todo el mundo le espía y le vigila. Así nos lo consigna en sus extraordinarios *Diálogos,* que un día quiere depositar en el altar mayor de Notre-Dame de París (24 de febrero de 1776), pero no puede hacerlo por encontrar la verja cerrada.

Comienza entonces las *Meditaciones de un paseante solitario* (*Les Rêveries du promeneur solitaire*). Finalmente, acepta la hospitalidad del marqués de Girardin en Ermenonville. Fallece allí el 2 de julio de 1778, víctima de una apoplejía. Fue enterrado en el extremo del lago de la isla des Pleupiers, todo muy romántico ya. Años más tarde, en octubre de 1794, los revolucionarios trasladaron sus restos al Panteón; de manera que la tumba de Ermenonville no es más que un cenotafio.

Obras

Las obras principales de Rousseau se agrupan en tres categorías correspondientes a las tres etapas de su pensamiento:

1º Obras de crítica negativa: *Discurso sobre el restablecimiento de las Ciencias y de las Artes* (1750); *Discurso sobre el origen y fundamento de la desigualdad entre los hombres* (1754); *Carta a D'Alembert sobre los espectáculos* (1758).

2º Obras constructivas: *La nueva Eloisa* (1761); *El Contrato Social* (1762); *Emilio* (1762).

3º Obras autobiográficas de publicación póstuma: *Las Confesiones* (1765-1770); *Las Meditaciones* o *Ensueños de un paseante solitario* (inacabada) (1776-1778).

Rousseau es, más que un reformador, un hombre lógico. En sus obras vemos con claridad que a la vez que censura agriamente la sociedad de su tiempo, construye en un proceso lógico, a partir de unos principios, lo que podríamos llamar una sociedad ideal. No se preocupa de los pormenores necesarios para llevarla a la práctica, ni incluso en sus auténticos tratados de programas concretos como el *Emilio* o el *Discurso sobre el origen de la desigualdad.* Y es que Rousseau es un idealista, le interesa más "la bondad del proyecto" que no "la facilidad de su ejecución". Edifica un sistema y deja para los demás la tarea de la ejecución práctica de sus teorías. Todo el sistema posee, pues, una coherencia lógica a partir de sus principios. "Mis ideas se sostienen mutuamente", nos dirá él mismo.

Los principio básicos en que descansará la unidad de su sistema serán:

1º Superioridad de la naturaleza sobre el estado social. Todo el bien le viene al hombre de la naturaleza; todo el mal le viene de la sociedad.

2º Imposibilidad de volver al estado natural. "¿Es pues necesario destruir toda la vida social?", se preguntará él mismo. En sus *Diálogos* nos ofrecerá la respuesta. No es necesario destruir todo lo conseguido por el arte y las ciencias, sino que hay una necesidad de construir un orden social lo más cerca posible del estado natural. Es necesario que las leyes no sólo no contradigan el orden social, sino que sean ejemplos de él. (3er principio).

Aplicaciones del sistema roussoniano

El escritor aplica estos principios a los problemas más diversos:

A la política.- En su estado natural todos los hombres son libres e iguales; por tanto una buena constitución será aquélla en que se garantice la libertad y la desigualdad de los hombres.

Aquélla ante la cual todos los ciudadanos sean iguales. Estas ideas las desarrolla, sobre todo, en *El Contrato Social*, que hoy presentamos en esta Colección.

A la pedagogía.- En el estado natural el hombre sigue sus instintos. Se evitará, pues, en el niño toda violencia a sí mismo. "El niño no debe hacer nada para por obediencia... Las palabras de obedecer y mandar serán proscritas de su diccionario, todavía más que las de deber y obligación... Solamente se controlará el progreso natural de sus facultades." Todas estas ideas, que suscribiría cualquier "progre" de 1968, se hallan expuestas en el *Emilio.*

A la moral.- En el estado natural el hombre encuentra en sí mismo un sentimiento de piedad que le dispone a respetar a sus semejantes. Sigamos las reglas de la naturaleza que están escritas en el fondo de nuestros corazones con caracteres infalibles: "¡Conciencia!, ¡conciencia!, instinto divino, inmortal y celeste voz; guía segura de un ser ignorante y ciego, pero inteligente y libre, juicio infalible del bien y el mal".

A la vida diaria.- En el estado natural, el hombre no conoce más que los placeres simples e inocentes. El hombre es bueno por naturaleza; la sociedad le corrompe. Rousseau se opone a todas las doctrinas que hablen de la necesidad de corregir los instintos.

A la religión.- En el estado natural, el hombre ignora los dogmas de una religión establecida. Dios está presente en la naturaleza; descubrámosle contemplando sus maravillas.

El estilo literario de Rousseau

Aunque toda la obra de Rousseau se halle dominada por la pasión, éste consigue encauzarla según las necesidades de cada una de ellas. Así por ejemplo en *El Contrato Social* o los *Sueños* se revela como un auténtico didáctico, con un extraordinario rigor en las reflexiones lógicas. Su estilo presenta a veces una claridad y fluidez auténticamente geométrica.

La profundidad de análisis psicológico da a todos sus escritos una especial penetración. Rousseau se interesa más por los sentimientos que por las ideas. Su psicología parte de un profundo y minucioso estudio de los propios estado anímicos. A pesar de la finalidad que persiguen la mayoría de las obras, no se nos presentan como austeros y píos tratados de moral o de educación, sino que encontramos en ellos una frescura especial muy atractiva. Su imaginación transforma las ideas más lógicas y frías en una amena exposición llena de interés, sin que por ello falte el rigor lógico.

Naturalmente, Rousseau aparece como un auténtico poeta en obras llenas de recuerdos como sus *Confesiones* o sus *Sueños.*

Estudio especial de *El Contrato Social*

Tal como señala el propio Rousseau en una advertencia preliminar, *El Contrato Social* es un fragmento de una obra inacabada: las Instituciones políticas que habían empezado en Venecia diecinueve años antes "sin haber consultado a sus fuerzas" y que por ello, desgraciadamente, ha de dejar inconclusa. El autor se decide entonces dar a luz el "fragmento" más importante a su juicio de la obra proyectada y destruir los demás.

Al contrario de Montesquieu (1689-1755), que había llegado a sus conclusiones después de una exhaustiva investigación histórica, Rousseau expone sus principios a priori y de ellos deduce la organización de una sociedad justa. *El Contrato Social* es, pues, una concepción puramente teórica, fuera del espacio y el tiempo. A pesar de ello, los orígenes suizos y protestantes de Rousseau salen a relucir de ella una y otra vez, cuando se refiere al gobierno singular de su ciudad natal, Ginebra; además es indudable que el dogma de la soberanía del pueblo tiene su origen en la doctrina calvinista.

De momento, sus contemporáneos poca atención dieron a la

aparición del contrato, por opinar que era demasiado utópico o imposible como proyecto. Su propio autor creía que no podía aplicarse. Así cuando le solicitaron los borradores para las futuras constituciones de Córcega y Colonia, no se valió para nada de lo que en él había recogido. Sin embargo, veintiséis años más tarde, como sucedería con *El Espíritu de las Leyes* (1748) de Montesquieu o *¿Qué es el Tercer Estado?* del abate Sieyès (1748-1836), se convertiría en motor de la Revolución. De forma contradictoria, en él se inspiró la *Declaración de los Derechos del hombre y del ciudadano* de 1789, y a él se apeló para legitimar el régimen de terror jacobino. Después, su crítica de la propiedad fue uno de los fundamentos de las doctrinas socialistas y comunistas.

La obra lleva el esclarecedor subtítulo de "Principios de derecho político"; Rousseau se confiesa su autor, pero es significativo que añada "ciudadano de Ginebra", dándonos a entender que esta pequeña república fundada por Calvino (1509-1564) será tomada como ejemplo en diversas ocasiones. La obra se divide en cuatro libros: el primero trata de la constitución de la sociedad por el contrato; el segundo del "soberano" y de sus actos de soberanía: leyes; el tercero del agente ejecutivo: gobierno; el cuarto del funcionamiento del sistema.

Libro primero. El problema que Rousseau plantea es de orden jurídico y no histórico, "El hombre ha nacido libre, y, sin embargo, en todas partes se encuentra encadenado. ¿Cómo se ha operado esta transformación? Lo ignoro. ¿Qué puede convertirlo en legítimo? Creo poder resolver esta cuestión", termina.

Se trata de encontrar las condiciones de existencia legítima de toda sociedad: consistente en un convenio "cuyas cláusulas no han sido jamás formalmente enunciadas", y en virtud del cual cada asociado cede totalmente su persona y sus derechos a la comunidad. Con ello pierde, sin duda, la libertad natural y el derecho ilimitado a poner la mano sobre todo aquello que le tiente y que se halla a su alcance; pero en cambio, gana la libertad civil y la propiedad de lo que posee. Sin embargo, la libertad civil se halla subordinada a la libertad general, y la propiedad individual está condicionada al derecho que la comunidad posee sobre los bienes de todos.

Libro segundo. La voluntad general se caracteriza por ser inalienable y no referirse más que a asuntos generales relativos al bien común. Su acción es la ley. El papel del legislador, hombre divino, consiste en aclarar la voluntad general.

Libro tercero. ¿De qué modo la colectividad (o soberano) realizará la ley en los actos particulares? Por medio del Gobierno. Éste puede ser de tres clases: el democrático, demasiado perfecto para convenir a los hombres; el aristocrático, muy aceptable a condición de que la aristocracia sea electiva; y el monárquico, preferible a todos los demás si el príncipe fuera siempre lo que debe ser. Por lo demás, el modo de gobierno depende de numerosos factores extraños a la voluntad humana, como ya demostró Montesquieu. Y no hay que olvidar que el gobierno sólo actúa por delegación, y que el Soberano tiene en todo momento el derecho de moderar y regular. Rousseau es partidario de los pequeños Estados (Ginebra) con frecuentes plebiscitos.

Libro cuarto. Resulta fatal que la voluntad general no sea la voluntad de todos. Pero el ciudadano, al aceptar el pacto social, ha consentido implícitamente a todas las leyes que la voluntad general acepte, incluso aquellas que lo castiguen si osa violar alguna. Y Rousseau concluye estableciendo una garantía suprema: un credo filosófico cuyos artículos serán impuestos obligatoriamente por el Estado, ya que consistirán en la afirmación de ciertos sentimientos de sociabilidad sin los cuales es imposible ser un buen ciudadano.

El Contrato Social posee todavía una fresca actualidad y hoy sigue siendo ardientemente discutido. Su teoría del estatismo absoluto fue tomada por los gobiernos totalitarios en contradicción con la defensa de que el propio Rousseau realiza de los derechos de los individuos. Sin embargo, él sólo lo admitía como medio para disolver las fuerzas que les oprimían y para mantener en su provecho la igualdad restablecida. Sea como fuere, revolucionarios de 1789 y de 1793, socialistas utópicos, demócratas de toda la vida, marxistas, anarquistas y fascistas todos han considerado al hijo del relojero ginebrino como su maestro y *El Contrato Social* como su "Biblia".

La época de Rousseau: el Despotismo ilustrado

Los sesenta y seis años de la vida de nuestro escritor se desenvuelven en su totalidad en el siglo XVIII. Cuando fallece en 1778, falta poco para que la ideología del denominado "Siglo de las luces" de la Ilustración y el Despotismo ilustrado de paso a una forma de ser y de sentir prácticamente nueva: el Romanticismo. Rousseau será en lo esencial hombre del siglo XVIII, pero se anticipará a la ideología romántica en muchos aspectos, tanto en su actuación como en su obra: será un auténtico prerromántico.

"Todo para el pueblo, pero sin el pueblo" será el lema de los monarcas del Despotismo Ilustrado. Siguen ostentando el poder como recibido de Dios y, salvo en Inglaterra, todos creen que es a Él a quien tienen que rendir cuentas, no al pueblo. Sin embargo, imbuidos del espíritu de la Ilustración, los Federico el Grande de Prusia, Catalina II de Rusia, María Teresa y José II de Austria, Luis XV de Francia (y en su caso sus ministros y una de sus más importantes favoritas, la marquesa de Pompadour) y Carlos III de España, también junto con sus ministros, intentarán realizar reformas, en especial, de tipo cultural, en sus respectivos Estados.

Los citados monarcas se imponen el deber de modificar en mayor o menor grado los sistemas educativos de su país con la implantación de la educación estatal y la secularización de la enseñanza, así como con la expulsión de los jesuitas, antes que lo haga la Revolución Francesa. La Ilustración tiene pues la declarada finalidad de disipar las hasta entonces tenidas por tinieblas de la humanidad mediante "las luces de la razón".

El movimiento tuvo también sus repercusiones en América. En Estados Unidos militaron en él señeras figuras como Washington o Jefferson, y en Iberoamérica un Simón Bolívar, un Belgrano y un Bello, así como una pléyade que constituirá los primeros hispanistas.

Sin embargo, la Ilustración, *Aüfklarung*, en alemán, que en el viejo continente fue un movimiento minoritario de la realeza, nobleza, burguesía e intelectuales, en América tendría carácter democrático y popular.

La Ilustración inserta su filiación doctrinal en el renacimiento y en especial en las corrientes *empiristas* y *racionalistas* del siglo XVII de Descartes al inglés Locke, pasando por Bacon, Bayle, Galileo, Grocio, Hobbes, Leibniz, Newton, Spinoza... y basa su posibilidad sociológica de desarrollo en las revoluciones políticas del siglo XVII holandesa e inglesas, en el empuje de la burguesía y en las transformaciones económicas que desembocarán a la larga en lo que se ha venido a llamar r*evolución industrial*.

Desde Gran Bretaña, donde algunos de los rasgos esenciales del movimiento se dieron antes que en otro lugar, la Ilustración se asentó en Francia a través de Voltaire y produjo a aquí su cuerpo ideológico más importante, *La Enciclopedia* y su doctrina el enciclopedismo. *La Enciclopedia*, que tuvo 8 volúmenes, se editó entre 1751-72 y en ella colaboraron entre otros, Diderot, D'Alambert, Helvetius, Holbach, Lagrange y nuestro Rousseau...

Sin embargo, la idea de *La Enciclopedia* también nació en Inglaterra con la *Cyclopaedia* de Chambers, en dos volúmenes, y salida a la luz en Londres entre 1727 y 1728. Cuando un librero de París quiso traducirla y solicitó la colaboración de Diderot y D'Alambert, éstos le propusieron un plan mucho más ambicioso...

La Ilustración trajo consigo el espíritu crítico. Todo ha de someterse a examen minucioso. "Todo ha de ser puesto en duda" a la manera de Descartes en su *Discurso del Método* y de Leibniz, así como de los empiristas ingleses, y a partir de ahí se han de revisar todos los principios que hasta entonces se creían inalienables y básicos, desde las ciencias profanas a los fundamentos de la revelación, desde la metafísica a las leyes arbitrarias de los príncipes y de los pueblos.

La ilustración reafirmará el espíritu científico heredado de Bacon (1561-1626), Galileo (1564-1642) y Newton (1642-1727), y los laboratorios se extenderán por doquier.

Finalmente las crónicas y los relatos llegados de exóticos países despertarán el interés general por las costumbres y formas de vida de otros pueblos, poniendo sobre el tapete la teoría del "buen salvaje", que Rousseau hará suya cuando hable de la "bondad natural del hombre".

Durante esta época aparece también el materialismo moderno. La Mettrie (1709-1751) y Holbach (1723-1789) son sus principales representantes. En la naturaleza no hay más que materia con su tributo esencial el movimiento –afirman–. La materia y el movimiento son eternos, "han existido siempre". El universo es por sí mismo lo que es, "existe necesariamente desde toda la eternidad". El hombre es la obra de la naturaleza; "existe en la naturaleza y está sometido a sus leyes, de las cuales no puede emanciparse ni salir, ni siquiera por el pensamiento".

La Ilustración no admitió una religión concreta positiva. Se predican las virtudes de la "religión natural" y del "deísmo". Se habla de la conveniencia de rendir culto al Ser Supremo, Dios, pero sin distinción de teologías o sectas. Y son los mismos nobles los que en este siglo XVIII favorecen el progreso de la irreligiosidad.

En lo político, la vida de Rousseau tiene por fondo La Regencia, durante la minoría de edad de Luis XV –de 1715 a 1723– y su posterior largo reinado (1724-1774).

La Regencia fue ya una época de cansancio y decadencia. Se

heredaba la postración a que conducen las guerras continuadas, en especial, durante el reinado del rey Sol, Luis XIV (1643-1715), la miseria y el hambre de un estado de cosas que es imposible cambiar mientras haya que gastar dinero en soldados y armamento, y se suma a esto la fastuosidad de la corte de Versalles y de un Estado que se reduce al monarca y a sus familiares, a la nobleza, a la burguesía acomodada y a los intelectuales, salidos de esta burguesía. Muchos escritores habían predicho el fin de esa política, entre ellos Fénelon (1653-1715), que en su *Telémaco* habló de la sustitución del régimen absoluto por el gobierno de una oligarquía aristocrática.

La postración de Francia se acentuó durante la Regencia de Felipe de Orleans, tío de Luis XV. Fue este momento una época de libertinaje y desenfreno. El Parlamento recobró la facultad de "protestar" las leyes dictadas por el monarca; los letrados fueron arrinconados y los nobles sustituyeron a los ministros formando una serie de consejos. El economista escocés Law pretendió poner fin a la bancarrota, pero como consecuencia de una especulación sin base real, tuvo que declararse en quiebra y la burguesía francesa quedó así arruinada.

Al coger las riendas del poder Luis XV en 1723, débil e indeciso, entregó el mando al cardenal Fleury, con el que Francia se rehizo gracias a su política realista y a sus colaboradores. Pero a su muerte (1743), Luis XV, indolente, se dejó guiar por una pléyade de cortesanos y sobre todo por sus propias favoritas, como la marquesa de Pompadour o la condesa Du Barry. La burguesía protestó, imbuida por las ideas ilustradas, también lo hicieron los campesinos e incluso la propia nobleza, como el mismo Montesquieu. De nada sirvieron las medidas de los ministros D'Argenson y Choiseul, los gérmenes de la revolución estaban ya echados.

En medio de aquel marasmo, los Voltaire, Montesquieu y nuestro Rousseau vuelven los ojos a Inglaterra, en donde el monarca reina, pero no gobierna, sino que es el Parlamento el que ejecuta esa función con la alternancia de partidos y la aristocracia y la burguesía alcanzan el poder por medio de elecciones. John Locke (1632-1704) ha sentado las bases de esta forma de gobierno y los ilustrados franceses se disponen a recoger su antorcha.

Conclusión

El objeto de *El Contrato Social* traza el tipo de contrato constitutivo de toda sociedad verdadera. Todos los hombres, anteriormente iguales y libres, renuncian por igual y simultáneamente a su libertad; la voluntad de todos pasa a ser el único soberano al cual todos se someten. La igualdad por consiguiente se mantiene; ¿acaso ha disminuido la libertad? No, ya que la voluntad de cada uno, al enajenar su libertad, era que la voluntad de todos fuera obedecida, y quedar sometido a la voluntad propia es mantenerse libre. Así el individuo se enajena por entero y, sin embargo, no es esclavo. Todo el esfuerzo debe tender a no destruir las sociedades actualmente existentes, sino a hacerlas volver de nuevo a ese tipo ideal.

El principio político afirmado en *El Contrato Social* es ejecutable. La sociedad tiene por objeto la conservación y la protección de los miembros que la componen: de donde se infiere que ningún gobierno es legítimo si no cifra en el bien público su función y su finalidad. Así todo despotismo, es decir, toda explotación de la colectividad en provecho de algunos o de alguno solo, quedará excluido; pero ninguna forma de gobierno es condenada.

Nadie antes que Rousseau había planteado tan netamente el problema social. Todos los pensadores insistían en la guerra a los privilegios, que eran a sus ojos la forma perfecta de la desigualdad. Rousseau es el primero que denunció el lujo, la riqueza, el goce sin trabajo y la propiedad, como verdaderos privilegios o, mejor aun, como privilegio fundamental. Rousseau fue más allá que la burguesía francesa, que sólo pretendía la consolidación de la propiedad. El problema, tal como Rousseau lo planteó, social y no ya político, continúa sin resolver…

A medida que la Revolución, rebasando a Montesquieu y a Voltaire, dejaba por inútiles todos los sistemas, Rousseau emergía. Con Robespierre gobernó, y hasta nuestra época todos los progresos de la democracia: igualdad, sufragio universal, aplastamiento de las minorías, las reivindicaciones de los partidos de extrema izquierda, la guerra a la riqueza y a la propiedad, todas las conquistas y todas las agitaciones de la masa que trabaja y sufre, se han producido en el sentido de su obra. Rousseau ha sido y sigue siendo el revolucionario por excelencia.

Rousseau se apodera de nosotros en todos los aspectos: en moral, en poesía, en elocuencia, en novela y sobre todo en política con *El Contrato Social*, siempre lo hallamos a la entrada de todas las avenidas que llegan hasta nosotros. El genial Goethe, su contemporáneo, tenía razón al decir: "Con Voltaire, termina un mundo; con Rousseau, comienza otro".

BIBLIOGRAFÍA

Bermudo, J.M.: *J. J. Rousseau, la profesión de fe del filósofo*, Barcelona, Montesinos, 1984.

Chevallier, Jean-Jacques: *Los grandes textos políticos*, Aguilar, Madrid, 1972.

Della Volpe, G.: *Rousseau y Marx*, Barcelona, Martínez Roca, 1978.

de Beer, S. G.: *Rousseau*, Barcelona, Salvat, 1985.

Grimsley, R.: *La filosofía de Rousseau*, Madrid, Alianza, 1977.

Höffding, H.: *Rousseau*, Madrid, Rev. de Occidente, 1931.

Josephoson, R. M.: *Juan Jacobo Rousseau*, Zamora, Claridad, 1973.

Lason, G.; Tuffrau, P.: *Manual de Historia de la Literatura Francesa*, Barcelona, Labor, 1956.

Lèvi-Strauss, C. y Cols: *La presencia de Rousseau*, Buenos Aires, Nueva Unión, 1972.

Moreau, J.: *Rousseau y la fundamentación de la democracia*, Madrid, Espasa Calpe, 1977.

Pintor, A.: *El deísmo religioso de Rousseau*, Salamanca, Universidad, 1982.

Rolland, R.: *El pensamiento vivo de Rousseau*, Buenos Aires, Losada, 1973.

Rousseau, Jean-Jacques: *Escritos de combate*, Madrid, Alfaguara, 1979.

Vial, F.: *La doctrina educativa de Rousseau*, Barcelona, Labor, 1937.

Villaverde, M. J.: *Rousseau y el pensamiento de las luces*, Madrid, Tecnos, 1988.

El contrato social

... foederis aequas
dicamus leges*
Eneida XI

*"... establezcamos un tratado con las leyes justas" (√irgilio, Eneida , XI v. 321)

ADVERTENCIA

Este breve tratado ha sido extractado de una obra más amplia, emprendida sin haber consultado mis energías y abandonada hace tiempo. De los diversos fragmentos que podían extraerse de ella, éste es el más enjundioso y el que me ha parecido menos indigno de ser ofrecido al público. El resto ya no existe.

LIBRO PRIMERO

Me propongo investigar si en el ámbito del orden civil, y considerando los hombres tal cual son y las leyes tal como pueden ser, existe alguna norma de administración legítima y cierta. Trataré para ello de mantener una constante armonía, en este estudio, entre lo que el derecho permite y lo que el interés prescribe, a fin de que la justicia y la utilidad no se hallen disociadas.

Entro en materia sin demostrar la importancia de mi tema. Si se me preguntara si soy príncipe o legislador para escribir sobre política, contestaría que no, y que precisamente por ello lo hago: si lo fuera, no perdería mi tiempo en decir lo que es necesario hacer; lo haría o guardaría silencio.

Siendo ciudadano de un Estado libre y miembro del poder soberano, por débil que sea la influencia que mi voz ejerza en los negocios públicos, el derecho que tengo de emitir mi voto me es suficiente para imponerme el deber de ilustrarme acerca de ellos. ¡Me consideraré siempre feliz que, al meditar sobre las diferentes formas de gobierno, encuentre en mis investigaciones nuevas razones para amar el de mi nación!

Capítulo I

OBJETO DE ESTE PRIMER LIBRO

El hombre ha nacido libre y, sin embargo, en todas partes se encuentra encadenado. Se considera amo, pero no deja por eso de ser menos esclavo que los demás. ¿Cómo se ha operado esta transformación? Lo ignoro. ¿Qué puede convertirlo en legítimo? Creo poder resolver esta cuestión.

Si no tuviese en cuenta más que la fuerza y los efectos que de ella se desprenden, diría: "En tanto que un pueblo está obligado a obedecer y obedece, hace bien; tan pronto como puede sacudir el yugo, y lo sacude, hace mejor aún, pues recobrando su libertad con el mismo derecho con que le fue arrebatada, prueba que fue creado para disfrutar de ella. De lo contrario, no fue jamás lícito arrebatársela". Pero el orden social constituye un derecho sagrado que sirve de base a todos los demás. No obstante, este derecho no es un derecho natural: de lo cual se colige que está fundado sobre convenciones. Se trata de saber cuáles son esas convenciones; pero antes de llegar a esta afirmación debo fijar o determinar lo que acabo de anticipar.

CAPÍTULO II

DE LAS PRIMERAS SOCIEDADES

La más antigua de todas las sociedades, y la única natural, es la de la familia; a pesar de que los hijos no permanecen ligados al padre más que durante el tiempo que tienen necesidad de él para su conservación. Tan pronto como esta necesidad cesa, los lazos naturales quedan desechos. Los hijos libres de la obediencia que debían al padre y éste relevado de los cuidados que debía a los hijos, uno y otros pasan a gozar de igual independencia. Si continúan unidos, no es ya forzosa y naturalmente, sino voluntariamente; y la familia misma, no subsiste más que por convención.

Esta libertad común es consecuencia de la naturaleza humana. Su principal ley es velar por su propia conservación, sus primeros cuidados son los que se debe a sí mismo. Llegado a la edad de la razón, siendo el único juez de los medios idóneos para conservarse, conviértese por ello en dueño de sí mismo.

La familia es, pues, si se quiere, el primer modelo de las sociedades políticas: el jefe es la imagen del padre, el pueblo la de los hijos, y habiendo nacido todos iguales y libres, no enajenan su libertad sino a cambio de su utilidad. Toda la diferencia consiste en que en la familia el amor paternal recompensa al padre de los cuidados que prodiga a sus hijos, en tanto que en el Estado es el placer del mando el que suple o sustituye este amor que el jefe no siente por sus súbditos.

Grocio niega que los poderes humanos se hayan establecido en beneficio de los gobernados, citando como ejemplo la esclavitud. Su manera habitual de razonar es la de establecer siempre el hecho como fuente del derecho.[1] Podría emplearse un método más consecuente o lógico, pero no más favorable a los tiranos.

1 "Las sabias investigaciones efectuadas sobre el derecho público, no son a menudo, sino la historia de antiguos abusos, cuyo demasiado estudio da por resultado el que se encaprichen *mal à propos* los que se toman tal trabajo." *(Traité des intérêts de la France avec ses voisins,* por el marqués d'Argenson, impreso en casa de Rey, en Amsterdam). De aquí precisamente lo que ha hecho Grocio.

Resulta, pues, dudoso, según Grocio, saber si el género humano pertenece a una centena de hombres o si esta centena de hombres pertenece al género humano. Y, según se desprende de su libro, parece inclinarse por la primera opinión. Tal era también el parecer de Hobbes. He aquí, de esta suerte, la especie humana dividida en rebaños, cuyos jefes los custodian para devorarlos.

Como un pastor es de naturaleza superior a la de su rebaño, los pastores de hombres, que son sus jefes, son igualmente de naturaleza superior a sus pueblos. Así razonaba, de acuerdo con Filón, el emperador Calígula, concluyendo por analogía, que los reyes eran dioses o que los hombres del pueblo eran bestias.

El argumento de Calígula equivale al de Hobbes y al de Grocio. Aristóteles, con anterioridad, había dicho también que los hombres no son naturalmente iguales, pues unos nacen para ser esclavos y otros para dominar.

Aristóteles tenía razón, sólo que tomaba el efecto por la causa. Todo hombre nacido esclavo, nace para la esclavitud, nada es más cierto. Los esclavos pierden todo, hasta el deseo de su libertad: aman su servidumbre como los compañeros de Ulises amaban su embrutecimiento.[2] Si existen, pues, esclavos por naturaleza, es porque los ha habido contra naturaleza. La fuerza hizo a los primeros esclavos, su cobardía los ha perpetuado.

Nada he dicho del rey Adán, ni del emperador Noé, padre de tres grandes monarcas que se repartieron el imperio del universo, tal y como hicieron los hijos de Saturno, a quienes se ha creído reconocer en ellos. Espero que se me agradecerá la modestia, pues descendiendo directamente de uno de estos tres príncipes, tal vez de la rama del primogénito, ¿quien sabe si, verificando títulos, no resultaría yo ser el legítimo rey del género humano? Sea como fuere, hay que convenir que Adán fue soberano del mundo, mientras lo habitó solo, como Robinson de su isla, existiendo en este imperio la ventaja de que el monarca, seguro en su trono, no tenía que temer ni rebeliones, ni guerras, ni conspiraciones.

2 Véase un breve tratado de Plutarco titulado *De la razón en los animales.*

Capítulo III

DEL DERECHO DEL MÁS FUERTE

El más fuerte no lo es jamás bastante para ser siempre el amo o señor, si no transforma su fuerza en derecho y la obediencia en deber. De allí el derecho del más fuerte, tomado irónicamente en apariencia y realmente establecido en principio. Pero ¿se nos explicará alguna vez esta palabra? La fuerza es una potencia física, y no veo qué moralidad puede resultar de sus efectos. Ceder a la fuerza es un acto de necesidad, no de voluntad; cuando más, puede ser de prudencia. ¿En qué sentido podrá ser un deber?

Supongamos por un momento este pretendido derecho; yo afirmo que resulta de él un galimatías inexplicable, porque si la fuerza constituye el derecho, como el efecto cambia con la causa, toda fuerza superior a la primera, modificará el derecho. Desde que se puede desobedecer impunemente, se puede legítimamente, y puesto que el más fuerte tiene siempre razón, no se trata más que de procurar serlo. ¿Qué es, pues, un derecho que perece cuando la fuerza cesa? Si es preciso obedecer por fuerza, no es necesario obedecer por deber, y si la fuerza desaparece, la obligación no existe. Resulta, por consiguiente, que la palabra *derecho* no añade nada a la fuerza ni significa aquí nada en absoluto.

Obedeced a los poderes. Si esto quiere decir: ceded a la fuerza, el precepto es bueno, pero superfluo. Respondo de que no será jamás violado. Todo poder emana de Dios, lo reconozco, pero toda enfermedad también. ¿Estará prohibido por ello, recurrir al médico? ¿Si un bandido me sorprende en una selva, estaré, no solamente por la fuerza, sino aún pudiendo evitarlo, obligado en conciencia a entregarle mi bolsa? ¿Por qué, en fin, la pistola que él tiene es un poder?

Convengamos, pues, en que la fuerza no hace el derecho y en que no se está obligado a obedecer sino a los poderes legítimos. Así, mi cuestión primitiva queda siempre en pie.

Capítulo IV

DE LA ESCLAVITUD

Puesto que ningún hombre tiene por naturaleza autoridad sobre su semejante, y puesto que la fuerza no constituye derecho alguno, quedan sólo las convenciones como base de toda autoridad legítima sobre los hombres.

Si un individuo –dice Grocio– puede enajenar su libertad y hacerse esclavo de otro, ¿por qué un pueblo entero no puede enajenar la suya y convertirse en un esclavo de un rey? Hay en esta frase algunas palabras equívocas que necesitarían explicación; pero detengámonos sólo en la de enajenar. Enajenar es ceder o vender. Ahora, un hombre que se hace esclavo de otro, no cede su libertad; la vende, cuando menos, por su subsistencia; pero un pueblo ¿por qué se vende? Un rey, lejos de proporcionar la subsistencia a sus súbditos, saca de ellos la suya, y según Rabelais, un rey no vive con poco. ¿Los súbditos ceden, pues, sus personas a condición de que les quiten también su bienestar? No sé qué les queda por conservar.

Se dirá que el déspota asegura a sus súbditos la tranquilidad civil; sea, pero ¿qué ganan con ello, si las guerras que su ambición ocasiona, si su insaciable avidez y las vejaciones de su ministerio les arruinan más que sus disensiones internas? ¿Qué ganan, si esta misma tranquilidad constituye una de sus miserias? Se vive tranquilo también en los calabozos. Pero, ¿es esto encontrarse y vivir bien? Los griegos, encerrados en el antro de Cíclope, vivían tranquilos esperando el turno de ser devorados.

Decir que un hombre se da a otro gratuitamente, es afirmar una cosa absurda e inconcebible: tal acto sería ilegítimo y nulo, por la razón única de que el que la lleva a cabo no está en su estado normal. Decir otro tanto de un país, es suponer un pueblo de locos y la locura no hace derecho.

Aun admitiendo que el hombre pudiera enajenar su libertad, no puede enajenar la de sus hijos, nacidos hombres y libres. Su libertad les pertenece, sin que nadie tenga derecho a disponer de ella. Antes de que estén en la edad de la razón, puede el padre, en su nombre, estipular condiciones para asegurar su conservación y bienestar, pero no darlos irrevocable e incondicionalmente; pues acto tal sería contrario a los fines de la naturaleza y traspasaría el limite de los derechos paternales. Sería, pues, necesario para que un gobierno arbitrario fuese legítimo, que a cada generación el pueblo fuese dueño de admitir o rechazar sus sistemas, y en caso semejante la arbitrariedad dejaría de existir.

Renunciar a su libertad es renunciar a su condición de hombre, a los derechos de la humanidad y aun a sus deberes. No hay resarcimiento alguno posible para quien renuncia a todo. Semejante renuncia es incompatible con la naturaleza del hombre: despojarse de la libertad es despojarse de moralidad. En fin, es una convención fútil y contradictoria estipular de una parte una autoridad absoluta y de la otra una obediencia sin límites. ¿No es claro que a nada se está obligado con aquel a quien hay el derecho de exigirle todo? ¿Y esta sola condición, sin equivalente, sin reciprocidad, no lleva consigo la nulidad del acto? ¿Qué derecho podrá tener mi esclavo contra mí, ya que todo lo que posee me pertenece y puesto que siendo su derecho el mío, tal derecho contra mí mismo sería una palabra sin sentido alguno?

Grocio y otros como él, deducen de la guerra otro origen del pretendido derecho de la esclavitud. Teniendo el vencedor, según ellos, el derecho de matar al vencido, éste puede comprar su vida al precio de su libertad; convención tanto más legítima, cuanto que redunda en provecho de ambos.

Pero es evidente que este pretendido derecho de matar al vencido no resulta de ninguna manera del estado de guerra. Por la sola razón de que los hombres en su primitiva independencia no tenían entre sí relaciones bastante constantes para constituir ni el estado de paz ni el de guerra, y no eran, por lo tanto, naturalmente enemigos. La relación de las cosas y no la de los hombres es la que constituye la guerra, y este estado no puede nacer de simples elecciones personales, sino únicamente de relaciones reales. La guerra de hombre a hombre no puede existir ni en el estado natural en el que no hay propiedad constante, ni en el estado social donde todo está bajo la autoridad de las leyes.

Los combates particulares, los duelos, las riñas son actos que no constituyen estado, y en cuanto a las guerras privadas, autorizadas por las ordenanzas de Luis IX rey de Francia, y suspendidas por la paz de Dios, no son más que abusos del gobierno feudal, sistema absurdo, si sistema puede llamarse, contrario a los principios del derecho natural y a toda buena política.

La guerra no es una relación de hombre a hombre, sino de Estado a Estado, en la cual los individuos son enemigos accidentalmente, no como hombres ni como ciudadanos,[3] sino como soldados; no como miembros de la patria, sino como sus defensores. Por último, un Estado no puede tener por enemigo sino a otro Estado, y no a hombres; pues no pueden fijarse verdaderas relaciones entre cosas de diversa naturaleza.

Este principio está conforme con las máximas establecidas de todos los tiempos y con la práctica constante de todos los pueblos civilizados. Las declaraciones de guerra son adverten-

3 Los romanos, que han comprendido y respetado más que ningún otro pueblo del mundo el derecho de la guerra, eran tan escrupulosos a este respecto, que no le era permitido a un ciudadano servir como voluntario, sin haberse enganchado expresamente contra el enemigo, y determinadamente contra el enemigo. Habiendo sido licenciada una legión en la que Catón hijo hacia su primera campaña, bajo las órdenes de Popilius, Catón el Viejo escribió a éste diciéndole que si él quería que su hijo continuase sirviendo bajo su mando, era preciso que le hiciera prestar un nuevo juramento militar, porque habiendo quedado el primero anulado, no podía continuar tomando las armas contra el enemigo. Y el mismo Catón escribió a su hijo ordenándole que se guardase bien de presentar combate sin haber prestado el nuevo juramento. Sé que se me podrá oponer el sitio de Clusium y otros hechos particulares, pero yo cito leyes, costumbres. Los romanos son los que menos a menudo han quebrantado las leyes, y son los únicos que las hayan tenido tan bellas (nota añadida en la edición de 1782).

cias dirigidas a los ciudadanos más que a las potencias. El extranjero, sea rey, individuo o pueblo, que roba, mata o retiene a los súbditos de una nación sin declarar la guerra al príncipe, no es un enemigo, es un bandido. Aun en plena guerra, un príncipe justo se apoderará bien en país enemigo, de todo lo que pertenezca al público, pero respetará la persona y bienes de los particulares, esto es: respetará la persona, los derechos sobre los cuales se fundan los suyos. Teniendo la guerra como fin la destrucción del Estado enemigo, hay derecho de matar a los defensores mientras están con las armas en la mano, pero tan pronto como las entregan y se rinden, dejan de ser enemigos o instrumentos del enemigo, recobran su condición de simples hombres y el derecho a la vida. A veces se puede destruir un Estado sin matar uno solo de sus miembros: la guerra no da ningún derecho que no sea necesario a sus fines. Estos principios no son los de Grocio, ni están basados en la autoridad de los poetas; se derivan de la naturaleza de las cosas y tienen por fundamento la razón.

Con respecto al derecho de conquista, él no tiene otro fundamento que la ley del más fuerte. Si la guerra no da al vencedor el derecho de asesinar a los pueblos vencidos, no puede darle tampoco el de esclavizarlos. No hay derecho de matar al enemigo más que cuando no se le puede convertir en esclavo, luego este derecho no proviene del derecho de matarlo: es únicamente un cambio en el que se le otorga la vida, sobre la cual no se tiene derecho al precio de su libertad: estableciendo, pues, el derecho de vida y muerte sobre el derecho de esclavitud, y éste sobre aquél, ¿es o no claro que ya cae en un círculo vicioso?

Mas aun admitiendo este terrible derecho de matar, afirmo que un esclavo hecho en la guerra o un pueblo conquistado, no está obligado a nada para con el vencedor, a excepción de obedecerle mientras a ello están forzados. Tomando el equivalente de su vida, el vencedor no le ha concedido ninguna gracia: en vez de suprimirlo sin provecho, lo ha matado útilmente. Lejos, pues, de haber adquirido sobre él ninguna autoridad, el estado de guerra subsiste entre ellos como antes sus mismas relaciones son el efecto, pues el uso del derecho de guerra no supone ningún tratado de paz. Habrán celebrado un convenio, pero éste, lejos de suprimir tal estado, supone su continuación.

Así, desde cualquier punto de vista que se consideren las cosas, el derecho de esclavitud es nulo, no solamente porque es ilegítimo, sino porque es absurdo y no significa nada. Las palabras *esclavo* y *derecho*, son contradictorias y se excluyen mutuamente. Ya sea de hombre a hombre o de hombre a pueblo, el siguiente razonamiento será siempre igualmente insensato: "Celebro contigo un contrato en el cual todos los derechos están a tu cargo y todos los beneficios en mi favor, el cual observaré hasta tanto así me plazca y tú durante todo el tiempo que yo desee".

CAPÍTULO V

NECESIDAD DE RETROCEDER A UNA CONVENCIÓN PRIMITIVA

Ni aun concediéndoles todo lo que hasta aquí he refutado, lograrían progresar más los fautores del despotismo. Habrá siempre una gran diferencia entre someter una multitud y regir una sociedad. Que hombres dispersos estén sucesivamente sojuzgados a uno solo, cualquiera que sea el número, yo sólo veo en esa colectividad un señor y esclavos, jamás un pueblo y su jefe: representarán, si se quiere, una agrupación, mas no una asociación, porque no hay ni bien público ni cuerpo político. Ese hombre, aun cuando haya sojuzgado a medio mundo, no es siempre más que un particular; su interés, separado del de los demás, será siempre un interés privado. Si llega a perecer, su imperio, tras él, se dispersará y permanecerá sin unión ni adherencia, como un roble se destruye y cae convertido en un montón de cenizas después que el fuego lo ha consumido.

Un pueblo –dice Grocio– puede darse a un rey. Según Grocio, un pueblo existe, pues como tal pudo dársele a un rey. Este presente o dádiva constituye, de consiguiente, un acto civil, puesto que supone una deliberación pública. Antes de examinar el acto por el cual el pueblo elige un rey, sería conveniente estudiar el acto por el cual un pueblo se constituye en tal, porque siendo este acto necesariamente anterior al otro, es el verdadero fundamento de la sociedad.

En efecto, si no hubiera una convención anterior, ¿en dónde estaría la obligación, a menos que la elección fuese unánime, de los menos a someterse al deseo de los más? Y ¿con qué derecho, ciento que quieren un amo, votan por diez que no lo desean? La ley de las mayorías en los sufragios es ella misma fruto de una convención que supone, por lo menos una vez, la unanimidad.

CAPÍTULO VI

DEL PACTO SOCIAL

Supongo a los hombres llegados al punto en que los obstáculos que impiden su conservación en el estado natural, superan las fuerzas que cada individuo puede emplear para mantenerse en él. Entonces este estado primitivo no puede subsistir, y el género humano perecería si no cambiaba su manera de ser.

Ahora bien, como los hombres no pueden engendrar nuevas fuerzas, sino solamente unir y dirigir las que existen, no tienen otro medio de conservación que el de formar por agregación una suma de fuerzas capaz de sobrepujar la resistencia, de ponerlas en juego con un solo fin y de hacerlas obrar unidas y de conformidad.

Esta suma de fuerzas no puede nacer sino del concurso de muchos; pero, constituyendo la fuerza y la libertad de cada hombre los principales instrumentos para su conservación,

¿cómo podría comprometerlos sin perjudicarse y sin descuidar las obligaciones que tiene para consigo mismo? Esta dificultad, concretándola a mi objeto, puede enunciarse en los siguientes términos:

"Encontrar una forma de asociación que defienda y proteja con la fuerza común la persona y los bienes de cada asociado, y por la cual cada uno, uni éndose a todos, no obedezca sino a sí mismo y permanezca tan libre como antes." Tal es el problema fundamental cuya solución da el *Contrato social.*

Las cláusulas de este contrato están de tal suerte determinadas por la naturaleza del acto, que la menor modificación las haría inútiles y sin efecto; de manera, que, aunque no hayan sido jamás formalmente enunciadas, son en todas partes las mismas y han sido en todas partes tácitamente reconocidas y admitidas, hasta tanto que, violado el pacto social, cada cual recobra sus primitivos derechos y recupera su libertad natural, al perder la convencional por la cual había renunciado a la primera.

Estas cláusulas, bien estudiadas, se reducen a una sola, a saber: la enajenación total de cada asociado con todos sus derechos a la comunidad entera, porque, primeramente, dándose por completo cada uno de los asociados, la condición es igual para todos; y siendo igual, ninguno tiene interés en hacerla onerosa para los demás.

Además, efectuándose la enajenación sin reservas, la unión resulta tan perfecta como puede serlo, sin que ningún asociado tenga nada que reclamar, porque si quedasen algunos derechos a los particulares, como no habría ningún superior común que pudiese sentenciar entre ellos y el público, cada cual siendo hasta cierto punto su propio juez, pretendería pronto serlo en todo; consecuencialmente, el estado natural subsistiría y la asociación convertiríase necesariamente en tiránica o inútil.

En fin, dándose cada individuo a todos no se da a nadie, y como no hay un asociado sobre el cual no se adquiera el mismo derecho que se cede, se gana la equivalencia de todo lo que se pierde y mayor fuerza para conservar lo que se tiene.

Si se descarta, pues, del pacto social lo que no es de esencia, encontraremos que queda reducido a los términos siguientes: *Cada uno pone en común su persona y todo su poder bajo la suprema dirección de la voluntad general, y cada miembro considerado como parte indivisible del todo.*

Este acto de asociación convierte al instante la persona particular de cada contratante, en un cuerpo normal y colectivo, compuesto de tantos miembros como votos tiene la asamblea, la cual recibe de este mismo acto su unidad, su yo común, su vida y su voluntad. La persona pública que se constituye así, por la unión de todas las demás, tomaba en otro tiempo el nombre de *Ciudad*[4] y hoy el de *República o cuerpo político,* el cual es denominado *Estado* cuando es activo, *Potencia* en comparación con sus semejantes. En cuanto a los asociados, éstos toman colectivamente el nombre de *pueblo* y particularmente el de *ciudadanos* como partícipes de la autoridad soberana, y *súbditos* por estar sometidos a las leyes del Estado. Pero estos términos se confunden a menudo, siendo tomados el uno por el otro; basta saber distinguirlos cuando son empleados con toda precisión.

4 La verdadera significación de esta palabra hase casi perdido entre los modernos: la mayoría de ellos confunden una población con una ciudad y un habitante con su ciudadano. Ignoran que las casas constituyen la extensión, la población, y que los ciudadanos representan o forman la ciudad. Este mismo error costó caro a los cartagineses. No he leído que el título de ciudadano se haya jamás dado a los súbditos de ningún príncipe, ni aun antiguamente a los macedonios ni tampoco en nuestros días a los ingleses, a pesar de estar más cercanos de la libertad que todos los demás. Solamente los franceses toman familiarmente este nombre, porque no tienen verdadera idea de lo que la palabra *ciudadano* significa, como puede verse en sus diccionarios, sin que incurran, usurpándolo, en crimen de lesa majestad: este nombre entre ellos expresa una virtud y no un derecho. Cuando Bodin ha querido hablar de nuestros ciudadanos y habitantes, ha cometido un grave yerro tomando los unos por los otros. M. d'Alembert o se ha equivocado, y ha distinguido bien, en su artículo *Ginebra,* las cuatro clases de hombres (cinco si se cuentan los extranjeros) que existen en nuestra población y de las cuales dos solamente componen la república. Ningún autor francés que yo sepa, ha comprendido el verdadero sentido del vocablo *ciudadano.*

Capítulo VII

DEL SOBERANO

Despréndese de esta fórmula que el acto de asociación implica un compromiso recíproco del público con los particulares y que, cada individuo, contratando, por decirlo así, consigo mismo, se halla obligado bajo una doble relación, a saber: como miembro del soberano para con los particulares y como miembro del Estado para con el soberano. Pero no puede aplicarse aquí el principio de derecho civil según el cual los compromisos contraídos consigo mismo no crean ninguna obligación, porque hay una gran diferencia entre obligarse consigo mismo y de obligarse para con un todo del cual se forma parte.

Preciso es hacer notar también que la deliberación pública, que puede obligar a todos los súbditos para con el soberano, a causa de las dos diferentes relaciones bajo las cuales cada uno de ellos es considerado, no puede por la razón contraria, obligar al soberano para consigo, siendo por consiguiente contrario a la naturaleza del cuerpo político que el soberano se imponga una ley que no puede ser por él quebrantada. No pudiendo considerarse sino bajo una sola relación, está en el caso de un particular que contrata consigo mismo; por lo cual se ve que no hay ni puede haber ninguna especie de ley fundamental obligatoria para el cuerpo del pueblo, ni aun el mismo contrato social. Esto no significa que este cuerpo no pueda perfectamente comprometerse con otros, en cuanto no deroguen el contrato, pues con relación al extranjero, conviértese en un ser simple, en un individuo

Pero derivando el cuerpo político o el soberano su existencia únicamente de la legitimidad del contrato, no puede jamás obligarse, ni aun con los otros, a nada que derogue ese acto primitivo, tal como enajenar una parte de sí mismo o someterse a otro soberano. Violar el acto por el cual existe, sería aniquilarse, y lo que es nada, no produce nada.

Desde que esta multiplicidad queda constituida en un cuerpo, no se puede ofender a uno de sus miembros sin atacar a la colectividad y menos aún ofender al cuerpo sin que sus miembros se resientan. Así, el deber y el interés obligan igualmente a las dos partes contratantes a ayudarse mutuamente; y los mismos hombres, de forma individual, deben tratar de reunir, bajo esta doble relación, todas las ventajas que de ellas deriven.

Además, estando formado el cuerpo soberano por los particulares, no tiene ni puede tener interés contrario al de ellos; por consecuencia, la soberanía no tiene necesidad de dar ninguna garantía a los súbditos, porque es imposible que el cuerpo quiera perjudicar a todos sus miembros. Más adelante veremos que no puede dañar tampoco a ninguno en particular. El soberano, por la sola razón de serlo, es siempre lo que debe ser.

No resulta así con los súbditos respecto del soberano, al cual, a pesar del interés común, nada podría responderle de sus compromisos si no encontrase medios de asegurarse de su fidelidad.

En efecto, cada individuo puede, como hombre, tener una voluntad contraria o desigual a la voluntad general que posee como ciudadano: su interés particular puede aconsejarle de manera completamente distinta de la que le indica el interés común; su existencia absoluta y naturalmente independiente puede colocarle en oposición abierta con lo que debe a la causa común como contribución gratuita, cuya pérdida sería menos perjudicial a los otros que oneroso el pago para él, y considerando la persona moral que constituye el Estado como un ente de razón –puesto que éste no es un hombre–, gozaría de los derechos del ciudadano sin querer cumplir o llenar los deberes de súbdito, injusticia cuyo progreso causaría la ruina del cuerpo político.

A fin de que este pacto social no sea, pues, una vana fórmula, él encierra tácitamente el compromiso, que por sí solo puede dar fuerza a los otros, de que, cualquiera que rehúse obedecer a la voluntad general, será obligado a ello por todo el cuerpo; lo cual no significa otra cosa sino que se le obligará a ser libre, pues tal es la condición que, otorgando cada ciudadano a la patria, le garantiza de toda dependencia personal, condición que constituye el artificio y el juego del mecanismo político y que es la única que legitima las obligaciones civiles, las cuales, sin ella, serían absurdas, tiránicas y quedarían expuestas a los mayores abusos.

Capítulo VIII

DEL ESTADO CIVIL

La transición del estado natural al estado civil produce en el hombre un cambio muy notable, sustituyendo en su conducta la justicia al instinto y dando a sus acciones la moralidad de que antes carecían. Es entonces cuando, sucediendo la voz del deber a la impulsión física, y el derecho al apetito, el hombre, que antes no había considerado ni tenido en cuenta más que su persona, se ve obligado a obrar basado en distintos principios, consultando a la razón antes de prestar oído a sus inclinaciones. Aunque se prive en este estado de muchas ventajas naturales, gana en cambio otras tan grandes, sus facultades se ejercitan y se desarrollan, sus ideas se extienden, sus sentimientos se ennoblecen, su alma entera se eleva a tal punto que, si los abusos de esta nueva condición no le degradasen a menudo hasta colocarle en situación inferior a la en que estaba, debería bendecir sin cesar el dichoso instante en que la quitó para siempre y en que, de animal estúpido y limitado, se convirtió en un ser inteligente, en hombre.

Simplificando: el hombre pierde su libertad natural y el derecho ilimitado a todo cuanto desea y puede alcanzar, ganando en cambio la libertad civil y la propiedad de lo que posee. Para no equivocarse acerca de estas compensaciones, es preciso distinguir la libertad natural, que tiene por límites las fuerzas individuales de la libertad civil, circunscrita por la voluntad general, y la posesión, que no es otra cosa que el efecto de la fuerza o del derecho del primer ocupante, de la propiedad, que no puede ser fundada sino sobre un título positivo.

Podríase añadir a lo que precede la adquisición de la libertad moral, que por sí sola hace al hombre verdadero dueño de sí mismo, ya que el impulso del apetito constituye la esclavitud, en tanto que la obediencia a la ley es la libertad. Pero he dicho ya demasiado en este artículo, puesto que no es mi intención averiguar aquí el sentido filosófico de la palabra *libertad.*

Capítulo IX

DEL DOMINIO REAL

Cada miembro de la comunidad se da a ella en el momento que se constituye, tal cual se encuentra en dicho instante, con todas sus fuerzas, de las cuales forman parte sus bienes. Sólo por este acto, la posesión cambia de naturaleza al cambiar de manos, convirtiéndose en propiedad en las del soberano; pero como las fuerzas de la sociedad son incomparablemente mayores que las de un individuo, la posesión pública es también de hecho más fuerte e irrevocable, sin ser más legítima, al menos para los extranjeros, pues el Estado, tratándose de sus miembros, es dueño de sus bienes por el contrato social, el cual sirve de base a todos los derechos, sin serlo, sin embargo, con relación a las otras potencias, si-no por el derecho de primer ocupante que deriva de los particulares.

El derecho del primer ocupante, aunque es más real que el de la fuerza, no es verdadero derecho sino después de establecido el de propiedad. El hombre tiene naturalmente derecho a todo cuanto le es necesario; pero el acto positivo que le convierte en propietario de un bien cualquiera, le excluye el derecho a lo demás. Adquirida su parte debe limitarse a ella sin derecho a lo de la comunidad. He allí la razón por la cual el derecho de primer ocupante, tan débil en el estado natural, es respetable en el estado civil. Se respeta menos por este derecho lo que es de otros, que lo que no es de uno.

En general, para autorizar el derecho de primer ocupante sobre un terreno cualquiera, son necesarias las condiciones siguientes:

la primera, que el terreno no esté ocupado por otro; la segunda, que no se ocupe más que la parte necesaria para subsistir; la tercera, que se tome posesión de él, no mediante vana ceremonia, sino por el trabajo y el cultivo, único signo de propiedad que, a defecto de títulos jurídicos, debe ser respetado por los demás.

En efecto, conceder a la necesidad y al trabajo el derecho de primer ocupante, ¿no es dar a tal derecho toda la extensión suficiente? ¿No podría ser limitado, y bastará posar la planta sobre un terreno común para considerarse acto continuo dueño de él? ¿Bastará tener la fuerza para arrojar a los otros hombres arrebatándoles el derecho para siempre de volver a él? ¿Cómo podrá un individuo o pueblo apoderarse de un territorio inmenso privando de él al género humano de otro modo que por una usurpación punible, puesto que arrebata al resto de los hombres su morada y los alimentos que la naturaleza les ofrece en común? Cuando Núñez de Balboa tomaba, desde la playa, posesión del Océano Pacífico y de toda la América Meridional en nombre de la corona de Castilla, ¿era esto razón suficiente para desposeer a todos los habitantes, excluyendo igualmente a todos los príncipes del mundo? Bajo esas condiciones, las ceremonias se multiplicaban inútilmente: el rey católico no tenía más que, de golpe, tomar posesión de todo el universo, sin perjuicio de suprimir en seguida de su imperio lo que antes había sido poseído por otros príncipes.

Concíbase, desde luego, cómo las tierras de los particulares reunidas y contiguas, constituyen el territorio público, y cómo el derecho de soberanía, extendiéndose de los súbditos a los terrenos que ocupan, viene a ser a la vez real y personal, lo cual coloca a los poseedores en una mayor dependencia, convirtiendo sus mismas fuerzas en garantía de su fidelidad; ventaja que no parece haber sido bien comprendida por los antiguos monarcas que no llamándose sino reyes de los persas, de los escitas, de los macedonios, se consideraban más como jefes de hombres que como dueños del país. Los de hoy se denominan más hábilmente reyes de Francia, de España, de Inglaterra, etc., etc. Poseyendo así el terreno están seguros de poseer los habitantes.

Lo que existe de más singular en esta enajenación es que, lejos la comunidad de despojar a los particulares de sus bienes, al aceptarlos, ella no hace otra cosa que asegurarles su legítima posesión, cambiando la usurpación en verdadero derecho y el goce en propiedad. Entonces los poseedores, considerados como depositarios del bien público, siendo sus derechos respetados por todos los miembros del Estado y sostenidos por toda la fuerza común contra el extranjero, mediante una cesión ventajosa para el público y más aún para ellos, adquieren, por decirlo así, todo lo que han dado; paradoja que se explica fácilmente por la distinción entre los derechos que el soberano y el propietario tienen sobre el mismo bien, como se verá más adelante.

Puede suceder también que los hombres comiencen a unirse antes de poseer nada, y que apoderándose en seguida de un terreno suficiente para todos, disfruten de él en común o lo repartan entre sí, ya por partes iguales, ya de acuerdo con las proporciones establecidas por el soberano. De cualquier manera que se efectúe esta adquisición, el derecho que tiene cada particular sobre sus bienes, queda siempre subordinado al derecho de la comunidad sobre todos, sin lo cual no habría ni solidez en el vínculo social, ni fuerza real en el ejercicio de la soberanía.

Terminaré este capítulo y este libro con una advertencia que debe servir de base a todo el sistema social, y es la de que, en vez de destruir la igualdad natural, el pacto fundamental sustituye por el contrario una igualdad moral y legítima, a la desigualdad física que la naturaleza había establecido entre los hombres, las cuales, pudiendo ser desiguales en fuerza o en talento, vienen a ser todas iguales por convención y derecho.[5]

5 Bajo los malos gobiernos, esta igualdad no es más que aparente e ilusoria: sólo sirve para mantener al pobre en su miseria y al rico en su usurpación. En realidad, las leyes son siempre útiles a los que poseen y perjudiciales a los que no tienen nada. De esto se sigue que el estado social no es ventajoso a los hombres sino en tanto que todos ellos poseen algo y ninguno demasiado.

LIBRO SEGUNDO

Capítulo I

LA SOBERANÍA ES INALIENABLE

La primera y más importante consecuencia de los principios establecidos, es la de que la voluntad general puede únicamente dirigir las fuerzas del Estado de acuerdo con los fines de su institución, que es el bien común; pues si la oposición de los intereses particulares ha hecho necesario el establecimiento de sociedades, la conformidad de esos mismos intereses es lo que ha hecho posible su existencia. Lo que hay de común en esos intereses es lo que constituye el vínculo social, porque si no hubiera un punto en el que todos concordasen, ninguna sociedad podría existir.

Afirmo, pues, que no siendo la soberanía sino el ejercicio de la voluntad general, jamás deberá enajenarse, y que el soberano, que no es más que un ser colectivo, no puede ser representado sino por él mismo: el poder se transmite, pero no la voluntad.

En efecto, si no es imposible que la voluntad particular se concilie con la general, es imposible, por lo menos, que este acuerdo sea durable y constante, pues la primera tiende, por su naturaleza, a las preferencias y la segunda a la igualdad. Más difícil aún es que haya un fiador de tal acuerdo, pero dado el caso de que existiera, no sería efecto del arte, sino de la casualidad. El soberano puede muy bien decir: "yo quiero lo que quiere actualmente tal hombre, o al menos, lo que dice querer"; pero no podrá decir: "lo que este hombre querrá mañana yo lo querré", puesto que es absurdo que la voluntad se encadene para lo futuro, y también porque no hay poder que pueda obligar al ser que quiere, a admitir o consentir en nada que sea contrario a su propio bien. Si, pues, el pueblo promete simplemente obedecer, pierde su condición de tal y se disuelve por el mismo acto: desde el instante en que tiene un dueño, desaparece el soberano y queda destruido el cuerpo político.

Esto no quiere decir que las órdenes de los jefes no puedan ser tenidas como la expresión de la voluntad general, en tanto que el cuerpo soberano, libre para oponerse a ellas, no lo haga. En caso semejante, del silencio general debe presumirse el consentimiento popular. Esto será explicado más adelante.

Capítulo II

LA SOBERANÍA ES INDIVISIBLE

La soberanía es indivisible por la misma razón que es inalienable; porque la voluntad es general,[6] o no lo es; la declaración de esta voluntad constituye un acto de soberanía y es ley; en el segundo, no es sino una voluntad particular o un acto de magistratura; un decreto a lo más.

Pero nuestros políticos, no pudiendo dividir la soberanía en principio, la dividen en sus fines y objeto: en fuerza y voluntad, en poder legislativo y en poder ejecutivo, en derecho de impuesto, de justicia y de guerra; en administración interior y en poder de contratar con el extranjero, confundiendo tan pronto estas partes como tan pronto separándolas. Hacen del soberano un ser fantástico formado de piezas relacionadas, como si compusiesen un hombre con miembros de diferentes cuerpos, tomando los ojos de uno, los brazos de otro y las piernas de otro. Según

6 Para que la voluntad se general, no es siempre necesario que sea unánime; pero si es indispensable que todos los votos sean tenidos en cuenta. Toda exclusión formal destruye su carácter de tal.

cuentan, los charlatanes del Japón despedazan un niño a la vista de los espectadores y, arrojando después al aire todos sus miembros, uno tras otro, hacen caer la criatura viva y entera. Tales son, más o menos, los juegos de cubilete de nuestros políticos: después de desmembrar el cuerpo social con una habilidad y un prestigio ilusorios, unen las diferentes partes no se sabe cómo.

Este error proviene de que no se han tenido nociones exactas de la autoridad soberana, habiendo considerado como partes integrantes lo que sólo eran emanaciones de ella. Así, por ejemplo, el acto de declarar la guerra como el de celebrar la paz se han calificado actos de soberanía; lo cual no es cierto, puesto que ninguno de ellos es una ley sino una aplicación de la ley, un acto particular que determina la misma, como se verá claramente al fijar la idea que encierra este vocablo.

Observando asimismo las otras divisiones, se descubrirá todas las veces que se incurre en el mismo error: es la del pueblo, o la de una parte de él. En el primer caso, los derechos que se toman como partes de la soberanía, están todos subordinados a ella, y suponen siempre la ejecución de voluntades supremas.

No es posible imaginar cuánta oscuridad ha arrojado esta falta de exactitud en las discusiones de los autores de derecho político, cuando han querido emitir opinión o decidir sobre los derechos respectivos de reyes y pueblos, partiendo de los principios que habían establecido. Cualquiera puede convencerse de ello al ver, en los capítulos II y IV del primer libro de Grocio, cómo este sabio tratadista y su traductor Barbeyrac se confunden y enredan en sus sofismas, temerosos de decir demasiado o de no decir lo bastante según su entender, y de poner en oposición los intereses que intentan conciliar. Grocio, descontento de su patria, refugiado en Fracia y deseoso de hacer la corte a Luis XIII, a quien dedicó su libro, no economizó medio alguno para despojar a los pueblos de todos sus derechos y revestir con ellos, con todo el arte posible, a los reyes. Lo mismo habría querido hacer Barbeyrac, que dedicó su traducción al rey de Inglaterra Jorge I; pero desgraciadamente, la expulsión de Jacobo II, que él califica de abdicación, le obligó a mantenerse en la reserva, a eludir y a tergiversar las ideas para no hacer de Guillermo un usurpador. Si estos dos escritores hubieran adoptado los verdaderos principios, habrían salvado todas las dificultades y habrían sido consecuentes con ellos, pero entonces habrían tristemente dicho la verdad y hecho la corte al pueblo. La verdad no lleva a la fortuna, ni el pueblo da embajadas, cátedras ni pensiones.

Capítulo III

DE SI LA VOLUNTAD GENERAL PUEDE ERRAR

Se saca en consecuencia de lo que precede, que la voluntad general es siempre recta y tiende constantemente a la utilidad pública; pero no se deduce de ello que las deliberaciones del pueblo tengan siempre la misma rectitud.

Este quiere indefectiblemente su bien, pero no siempre lo comprende. Jamás se corrompe el pueblo, pero a menudo se le engaña, y es entonces cuando parece querer el mal.

Frecuentemente surge una gran diferencia entre la voluntad de todos y la voluntad general: ésta sólo atiende al interés común, aquélla al interés privado, siendo en resumen una suma de las voluntades particulares; pero suprimid de estas mismas voluntades las más y las menos que se destruyen entre sí,[7] y quedará por suma de las diferencias la voluntad general.

Si, cuando el pueblo, suficientemente informado, delibera, los ciudadanos pudiesen permanecer completamente incomunicados, del gran número de pequeñas diferencias resultaría siempre la voluntad general y la deliberación sería buena. Pero cuando se

7 Cada interés, dice el marqués d'Argenson, tiene principios diferentes. "El acuerdo entre dos intereses particulares se forma por oposición al de un tercero." Hubiera podido agregar que el acuerdo de todos los intereses se realiza por oposición al interés de cada uno. Si no hubiera intereses diferentes, apenas si se comprendería el interés común, que no encontraría jamás obstáculos; y la política cesaría de ser un arte.

forman intrigas y asociaciones parciales a expensas de la comunidad, la voluntad de cada una de ellas conviértese en general con relación a sus miembros, y en particular con relación al Estado, pudiendo entonces decirse que no hay ya tantos votantes como ciudadanos, sino tantos como asociaciones. Las diferencias se hacen menos numerosas y dan un resultado menos general. En fin, cuando una de estas asociaciones es tan grande que predomina sobre todas las otras, el resultado no será una suma de pequeñas diferencias, sino una diferencia única: desaparece la voluntad general y la opinión que impera es una opinión particular.

Importa, pues, para tener una buena exposición de la voluntad general, que no existan sociedades parciales en el Estado, y que cada ciudadano opine de acuerdo con su modo de pensar.[8] Tal fue la única y sublime institución del gran Licurgo. Si existen sociedades parciales es preciso multiplicarlas, para prevenir la desigualdad, como lo hicieron Solón, Numa y Servio. Estas precauciones son las únicas buenas para que la voluntad general sea siempre esclarecida y que el pueblo no caiga en error.

CAPÍTULO IV

DE LOS LÍMITES DEL PODER SOBERANO

Si el Estado o la ciudad no es más que una persona moral cuya vida consiste en la unión de sus miembros, y si el más importante de sus cuidados es el de la propia conservación,

8 «*Vera cosa è*–dice Maquiavelo– *che alcune divisioni nuocono alle Republiche, e alcune giovano: Quelle nuocono che sono dalle sette e da partigiani accompagnate: Quelle giovano ché senza sette, senza partigiani si mantengono. Non potendo adunque provedere un fondatore d'una Republica che non siano nimicizie in quella, hà da proveder almeno che non vi siano sette.*» (Verdad es que hay divisiones que perjudican a las repúblicas, y otras son provechosas: Son perjudiciales las que traen aparejadas facciones y banderías, y provechosas las que sin banderías ni facciones se mantienen. Así pues, como el fundador de una república no puede evitar que aparezcan en ella disensiones, al menos debe procurar que no se formen facciones en su seno). *Histo. Florent.*, L. VII.

preciso le es una fuerza universal e impulsiva para mover y disponer de cada una de las partes de la manera más conveniente al todo. Así como la naturaleza ha dado al hombre un poder absoluto sobre todos sus miembros, el pacto social da al cuerpo político un poder absoluto sobre todos los suyos. Es éste el mismo poder que, dirigido por la voluntad general, toma, como ya he dicho, el nombre de soberanía.

Pero, además de la persona pública, tenemos que considerar las personas privadas que la componen, cuya vida y libertad son naturalmente independientes de ella. Se trata, pues, de distinguir debidamente los derechos respectivos de los ciudadanos y del soberano,[9] y los deberes que tienen que cumplir los primeros en calidad de súbditos, del derecho que deben gozar como hombres.

Conviénese en que todo lo que cada individuo enajena, mediante el pacto social, de poder, bienes y libertad, es solamente la parte cuyo uso es de trascendencia e importancia para la comunidad, mas es preciso convenir también que el soberano es el único juez de esta necesidad.

Tan pronto como el cuerpo soberano lo exija, el ciudadano está en el deber de prestar al Estado sus servicios; mas éste, por su parte, no puede recargarles con nada que sea inútil a la comunidad; no puede ni aun quererlo, porque de acuerdo con las leyes de la razón como con las de la naturaleza, nada se hace sin causa.

Los compromisos que nos ligan con el cuerpo social no son obligatorios sino porque son mutuos, y su naturaleza es tal, que al cumplirlos, no se puede trabajar por los demás sin trabajar por sí mismo. ¿Por qué la voluntad general es siempre recta, y por qué todos desean constantemente el bien de cada uno, si no es porque no hay nadie que no piense en sí mismo al votar por el bien común? Esto prueba que la igualdad de derecho y la noción de justicia que la misma produce, se derivan de la preferencia que cada uno se da, y por consiguiente de la naturaleza

9 Os suplico que no os apresuréis, atentos lectores a acusarme de contradicción. No he podido evitarla en los términos, vista la pobreza del idioma; pero continuad.

humana; que la voluntad general, para que verdaderamente lo sea, debe serlo en su objeto y en su esencia; debe partir de todos para ser aplicable a todos, y que pierde su natural rectitud cuando tiende a un objeto individual y determinado, porque entonces, juzgando de lo que nos es extraño, no tenemos ningún verdadero principio de equidad que nos guíe.

Efectivamente, tan pronto como se trata de un derecho particular sobre un punto que no ha sido determinado por una convención general y anterior, el negocio se hace litigioso, dando lugar a un proceso en que son partes, los particulares interesados por un lado, y el público por otro, pero en cuyo proceso, no descubre ni la ley que debe seguirse, ni el juez que debe fallar. Sería, pues, ridículo fiarse o atenerse a una decisión expresa de la voluntad general, que no puede ser sino la conclusión de una de las partes, y que por consiguiente, es para la otra una voluntad extraña, particular, inclinada en tal ocasión a la justicia y sujeta al error. Así como la voluntad particular no puede representar la voluntad general, ésta a su vez cambia de naturaleza si tiende a un objeto particular, y no puede en caso tal fallar sobre un hombre ni sobre un hecho. Cuando el pueblo de Atenas, por ejemplo, nombraba o destituía a sus jefes, discernía honores a los unos, imponía penas a los otros, y, por medio de numerosos decretos particulares, ejercía indistintamente todos los actos del gobierno, el pueblo entonces carecía de la voluntad general propiamente dicha; no procedía como soberano, sino como magistrado. Esto parecerá contrario a las ideas de la generalidad, pero es preciso dejarme el tiempo de exponer las mías.

Concíbese desde luego que lo que generaliza la voluntad no es tanto el número de votos cuanto el interés común que los une, pues en esta institución, cada uno se somete necesariamente a las condiciones que impone a los demás: admirable acuerdo del interés y de la justicia, que da a las deliberaciones comunes un carácter de equidad eliminado en la discusión de todo asunto particular, falto de un interés común que una e identifique el juicio del juez con el de la parte.

Desde cualquier punto de vista que se examine la cuestión, llegamos siempre a la misma conclusión, a saber: que el pacto social establece entre los ciudadanos una igualdad tal, que todos se obligan bajo las mismas condiciones y todos gozan de idénticos derechos. Así, por la naturaleza del pacto, todo acto de soberanía, es decir, todo acto auténtico de la voluntad general, obliga o favorece igualmente a todos los ciudadanos; de tal suerte que el soberano conoce únicamente el cuerpo de la nación sin distinguir a ninguno de los que la forman. ¿Qué es, pues, lo que constituye propiamente un acto de soberanía? No es un convenio del superior con el inferior, sino del cuerpo con cada uno de sus miembros; convención legítima, porque tiene por base el contrato social; equitativa, porque es común a todos; útil, porque no puede tener otro objeto que el bien general, y sólida, porque tiene como garantía la fuerza pública y el poder supremo. Mientras que los súbditos están sujetos a tales convenciones, no obedecen más que su propia voluntad; y de consiguiente, averiguar hasta dónde se extienden los derechos respectivos del soberano y los ciudadanos, es inquirir hasta qué punto éstos pueden obligarse para con ellos mismos, cada uno con todos y todos con cada uno.

De esto se deduce que el poder soberano, con todo y ser absoluto, sagrado e inviolable, no traspasa ni traspasar puede los límites de las convenciones generales, y que todo hombre puede disponer plenamente de lo que le ha sido dejado de sus bienes y de su libertad por ellas; de suerte que el soberano no está jamás en el derecho de recargar a un súbdito más que a otro, porque entonces la cuestión conviértese en particular y cesa de hecho la competencia del poder.

Una vez admitidas estas distinciones, es tan falso que en el contrato social haya ninguna renuncia verdadera de parte de los particulares, que su situación, por efecto del mismo, resulta realmente preferible a la anterior, y que en vez de una cesión, sólo hacen un cambio ventajoso de una existencia incierta y precaria por otra mejor y más segura; el cambio de la independencia natural por la libertad; del poder de hacer el mal a sus semejantes por el de su propia seguridad, y de sus fuerzas, que otros podían aventajar, por un derecho que la unión social hace invencible. La vida misma que han consagrado al Estado, está constantemente protegida; y cuando la exponen en su defensa, ¿qué otra cosa hacen sino devolverle lo que de él han recibido? ¿Qué hacen que no hicieran más frecuentemente y con más riesgo en el estado natural, cuando, librando combates inevitables, defendían con peligro de su vida lo que les era indispensable para conservarla? Todos tienen que combatir por la patria cuando la necesidad lo exige, es cierto; pero nadie combate por sí mismo. ¿Y no es preferible correr, por la conservación de nuestra seguridad, una parte de los riesgos que sería preciso correr constantemente, tan pronto como ésta fuese suprimida?

CAPÍTULO V

DEL DERECHO DE VIDA Y DE MUERTE

Se preguntará: no teniendo los particulares el derecho de disponer de su vida, ¿cómo pueden trasmitir al soberano ese mismo derecho del cual carecen? Esta cuestión parece difícil de resolver por estar mal enunciada. El hombre tiene el derecho de arriesgar su propia vida para conservarla. ¿Se ha jamás dicho que el que se arroja por una ventana para salvarse de un incendio, es un suicida? o ¿se ha imputado nunca tal crimen al que perece en un naufragio cuyo peligro ignoraba al embarcarse?

El contrato social tiene por fin la conservación de los contratantes. El que quiere el fin quiere los medios, y estos medios son, en el presente caso, inseparables de algunos riesgos y aun de algunas pérdidas. El que quiere conservar su vida a expensas de los demás, debe también exponerla por ellos cuando sea necesario. En consecuencia, el ciudadano no es juez del peligro a que la ley lo expone, y cuando el soberano le dice: "Es conveniente para el Estado que tú mueras", debe morir, puesto que bajo esa condición ha vivido en seguridad hasta entonces, y su vida no es ya solamente un beneficio de la naturaleza, sino un don condicional del Estado.

La pena de muerte infligida a los criminales puede ser considerada, más o menos, desde el mismo punto de vista: para no ser víctima de un asesino es por lo que se consiente en morir si se degenera en tal. En el contrato social, lejos de pensarse en disponer de su propia vida, sólo se piensa en garantizarla, y no es de presumirse que ninguno de los contratantes premedite hacerse prender.

Por otra parte, todo malhechor, atacando el derecho social, conviértese por sus delitos en rebelde y traidor a la patria; cesa de ser miembro de ella al violar sus leyes y le hace la guerra. La conservación del Estado es entonces incompatible con la suya; es preciso que uno de los dos perezca, y al aplicarle la pena de muerte al criminal, es más como a enemigo que como a ciudadano. El proceso, el juicio constituyen las pruebas y la declaración de que ha violado el contrato social, y por consiguiente, que ha dejado de ser miembro del Estado. Ahora bien; reconocido como tal, debe ser suprimido por medio del destierro como infractor del pacto, o con la muerte como enemigo público, porque tal enemigo no es una persona moral, sino un hombre, y en ese caso el derecho de la guerra establece matar al vencido.

Pero, se dirá, la condenación de un criminal es un acto particular. Estoy de acuerdo; pero este acto no pertenece tampoco al soberano: es un derecho que puede conferir sin poder ejercerlo por sí mismo. Todas mis ideas guardan relación y se encadenan, pero no podría exponerlas todas a la vez.

Además, la frecuencia de suplicios es siempre un signo de debilidad o de abandono en el gobierno. No hay malvado a quien no se le pueda hacer útil para algo. No hay derecho, ni para ejemplo, de matar sino a aquel a quien no puede conservarse sin peligro.

En cuanto al derecho de gracia o sea el de eximir a un

culpado de la pena prevista por la ley y aplicada por el juez, diré que él no pertenece sino al que está por encima de aquélla y de éste, es decir, al poder soberano; y con todo, su derecho no es bien claro, siendo muy raros los casos en que se hace uso de él. En un Estado bien gobernado, hay pocos castigos, no porque se concedan muchas gracias, sino porque hay pocos criminales. La multitud de crímenes acusa impunidad cuando el Estado se debilita o perece. En los tiempos de la república romana, jamás el Senado ni los Cónsules intentaron hacer gracia; el pueblo mismo no lo hacía, aunque revocara a veces su propio juicio. Los indultos frecuentes son indicio de que, en no lejana época, los delincuentes no tendrán necesidad de ellos, y ya se puede juzgar esto a dónde conduce. Pero siento que mi conciencia me acusa y detiene mi pluma: dejemos discutir estas cuestiones a los hombres justos que no hayan jamás delinquido ni necesitado de gracia.

Capítulo VI

DE LA LEY

Por el acto pacto social hemos dado existencia y vida al cuerpo político: trátase ahora de darle movimiento y voluntad por medio de la ley; pues el acto primitivo por el cual este cuerpo se forma y se une, no determina nada de lo que debe hacer para asegurar su conservación.

Lo que es bueno y conforme al orden, lo es por la naturaleza de las cosas e independientemente de las convenciones humanas. Toda justicia procede de Dios, él es su única fuente; pero si nosotros supiéramos recibirla de tan alto, no tendríamos necesidad ni de gobierno ni de leyes. Sin duda existe una justicia universal emanada de la razón, pero ésta, para ser admitida entre nosotros, debe ser recíproca. Considerando humanamente las cosas, a falta de sanción institutiva, las leyes de la justicia son vanas entre los hombres; ellas hacen el bien del malvado y el mal del justo, cuando éste las observa con todo el mundo sin que nadie las cumpla con él. Es preciso, pues, convenciones y leyes que unan y relacionen los derechos y los deberes y encaminen la justicia hacia sus fines. En el estado natural, en el que todo es común, el hombre nada debe a quienes nada ha prometido, ni reconoce como propiedad de los demás sino aquello que le es inútil. No resulta así en el estado civil, en el que todos los derechos están determinados por la ley.

Pero, ¿qué es, al fin, la ley? En tanto que se siga ligando a esta palabra ideas metafísicas, se continuará razonando sin entenderse, y aun cuando se explique lo que es una ley de la naturaleza, no se sabrá mejor lo que es una ley del Estado.

Ya he dicho que no hay voluntad general sobre un objeto particular. En efecto, un objeto particular existe en el Estado o fuera de él. Si fuera del Estado, una voluntad que le es extraña no es general con relación a él, y si en el Estado, es parte interesante; luego se establece entre el todo y la parte una relación que forma dos seres separados, de los cuales uno es la parte y la otra el todo menos esta misma parte. Mas como el todo menos una parte, no es todo, en tanto que esta relación subsista, no existe el todo, sino dos partes desiguales. De donde se sigue, que la voluntad de la una deja de ser general con relación a la otra.

Pero cuando todo el pueblo estatuye sobre sí mismo, no se considera más que a sí mismo y se forma una relación: la del objeto entero desde distintos puntos de vista, sin ninguna división. La materia sobre la cual se estatuye es general como la voluntad que estatuye. A este acto le llamo ley.

Cuando digo que el objeto de las leyes es siempre general, entiendo que aquéllas consideran los ciudadanos en cuerpo y las acciones en abstracto, jamás el hombre como a individuo ni la acción en particular. Así, puede la ley crear privilegios, pero no otorgarlos a determinada persona; puede clasificar también a los ciudadanos y aun asignar las cualidades que dan derecho a las distintas categorías, pero no puede nombrar los que deben ser admitidos en tal o cual; puede establecer un gobierno monárquico y una sección hereditaria, pero no elegir rey ni familia real; en una palabra, toda función que se relacione con un objeto individual, no pertenece al poder legislativo.

Aceptada esta idea, es superfluo preguntar a quiénes corresponde hacer las leyes, puesto que ellas son actos que emanan de la voluntad general, ni si el príncipe está por encima de ellas, toda vez que es miembro del Estado; ni si la ley puede ser injusta, puesto que nadie lo es consigo mismo; ni cómo se puede ser libre y estar sujeto a las leyes, puesto que éstas son el registro de nuestras voluntades.

Es evidente además que, reuniendo la ley la universalidad de la voluntad y la del objeto, lo que un hombre ordena, cualquiera que él sea, no es ley, como no lo es tampoco lo que ordene el mismo cuerpo soberano sobre un objeto particular. Esto es un decreto; no un acto de soberanía, sino de magistratura.

Entiendo, pues, por república todo Estado regido por leyes, bajo cualquiera que sea la forma de administración, porque sólo así el interés público gobierna y la cosa pública tiene alguna significación. Todo gobierno legítimo es republicano.[10] Más adelante explicaré lo que es un gobierno.

Las leyes no son propiamente sino las condiciones de la asociación civil. El pueblo sumiso a las leyes, debe ser su autor; corresponde únicamente a los que se asocian arreglar las condiciones de la sociedad. Pero ¿cómo las arreglarán? ¿Será de común acuerdo y por efecto de una inspiración súbita? ¿Tiene el cuerpo político un órgano para expresar sus voluntades? ¿Quién le dará la previsión necesaria para formar sus actos y publicarlos de antemano? O ¿cómo pronunciará sus fallos en el momento preciso? ¿Cómo una multitud ciega, que no sabe a menudo lo

10 No entiendo solamente por esta palabra una aristocracia o una democracia, sino en general, todo gobierno dirigido por la voluntad general, que es la ley. Para ser legítimo un gobierno, no es preciso que se confunda con el soberano, sino que sea su ministro. De esta manera, la misma monarquía es república. Esto se aclarará en el libro siguiente.

que quiere, porque raras veces sabe lo que le conviene, llevaría a cabo por sí misma una empresa de tal magnitud, tan difícil cual es un sistema de legislación? El pueblo quiere siempre el bien, pero no siempre lo ve. La voluntad general es siempre recta, pero el juicio que la dirige no es siempre esclarecido. Se necesita hacerle ver los objetos tales como son, a veces tales cuales deben parecerle; mostrarle el buen camino que busca; garantizarla contra las seducciones de voluntades particulares; acercarle a sus ojos los lugares y los tiempos; compararle el atractivo de los beneficios presentes y sensibles con el peligro de los males lejanos y ocultos. Los particulares conocen el bien que rechazan; el público quiere el bien que no ve. Todos tienen igualmente necesidad de conductores. Es preciso obligar a los unos a conformar su voluntad con su razón y enseñar al pueblo a conocer lo que desea. Entonces de las inteligencias públicas resulta la unión del entendimiento y de la voluntad en el cuerpo social; de allí el exacto concurso de las partes, y en fin la mayor fuerza del todo. He aquí de dónde nace la necesidad de un legislador.

Capítulo VII

DEL LEGISLADOR

Para descubrir las mejores reglas sociales que convienen a la naciones, sería preciso una inteligencia superior capaz de penetrar todas las pasiones humanas sin experimentar ninguna; que conociese a fondo nuestra naturaleza sin tener relación alguna con ella; cuya felicidad fuese independiente de nosotros y que por tanto desease ocuparse de la nuestra; en fin, que en el transcurso de los tiempos, reservándose una gloria lejana, pudiera trabajar en un siglo para gozar en otro.[11] Sería menester de dioses para dar leyes a los hombres.

11 Un pueblo se hace célebre cuando su legislación comienza a declinar. Ignórase durante cuántos siglos la institución de Licurgo hizo la felicidad de los espartanos antes de que éstos tuvieran renombre en el resto de la Grecia.

El mismo razonamiento que empleaba Calígula en cuanto al hecho, empleaba Platón en cuanto al derecho para definir el hombre civil o real que buscaba en su libro sobre el reino.* Pero si es cierto que un gran príncipe es raro, ¿cuánto más no lo será un legislador? El primero no tiene más que seguir el modelo que el último debe presentar. El legislador es el mecánico que inventa la máquina, el príncipe el obrero que la monta y la pone en movimiento. En el nacimiento de las sociedades, dice Montesquieu, primeramente los jefes de las repúblicas fundan la institución, pero después la institución forma a aquéllos.

El que se atreve a emprender la tarea de instituir un pueblo, debe sentirse en condiciones de cambiar, por decirlo así, la naturaleza humana; de transformar cada individuo, que por sí mismo es un todo perfecto y solitario, en parte de un todo mayor, del cual recibe en cierta manera la vida y el ser; de alterar la constitución del hombre para fortalecerla; de sustituir por una existencia parcial y moral la existencia física e independiente que hemos recibido de la naturaleza. Es preciso, en una palabra, que despoje al hombre de sus fuerzas propias, dándole otras extrañas de las cuales no puede hacer uso sin el auxilio de otros. Mientras más se aniquilen y consuman las fuerzas naturales, mayores y más duraderas serán las adquiridas, y más sólida y perfecta también la institución. De suerte que, si el ciudadano no es nada ni puede nada sin el concurso de todos los demás, y si la fuerza adquirida por el todo es igual o superior a la suma de las fuerzas naturales de los individuos, puede decirse que la legislación adquiere el más alto grado de perfección posible.

El legislador es, bajo todos conceptos, un hombre extraordinario en el Estado. Si debe serlo por su genio, no lo es menos por su cargo, que no es ni de magistratura ni de soberanía, porque constituyendo la república, no entra en su constitución. Es una función particular y superior que nada tiene de común con

---

* Se refiere al *Politicus* o *Vir civilis*, que algunos han titulado *De Regno*. [*N. del T.*].

el imperio humano, porque, si el que ordena y manda a los hombres no puede ejercer dominio sobre las leyes, el que lo tiene sobre éstas no debe tenerlo sobre aquéllos. De otro modo esas leyes, hijas de sus pasiones, no servirían a menudo sino para perpetuar sus injusticias, sin que pudiera jamás evitar el que miras particulares perturbasen la santidad de su obra.

Cuando Licurgo dio leyes a su patria, comenzó por abdicar la dignidad real. Era costumbre en la mayor parte de las ciudades griegas confiar a los extranjeros la legislación. Las modernas repúblicas de Italia imitaron a menudo esta costumbre; la de Ginebra hizo otro tanto, y con buen éxito.[12] Roma, en sus bellos tiempos vio renacer en su seno todos los crímenes de la tiranía, y estuvo próxima a sucumbir por haber depositado en los mismos hombres la autoridad legislativa y el poder soberano.

Sin embargo, los mismos decenviros no se arrogaron jamás el derecho de sancionar ninguna ley de su propia autoridad. "Nada de lo que os proponemos –decían al pueblo–, podrá ser ley sin vuestro consentimiento. Romanos, sed vosotros mismos los autores de las leyes que deben hacer vuestra felicidad".

El que dicta las leyes no tiene, pues, o no debe tener ningún derecho legislativo, y el mismo pueblo, aunque quiera, no puede despojarse de un derecho que es inalienable, porque según el pacto fundamental, sólo la voluntad general puede obligar a los particulares, y nunca puede asegurarse que una voluntad particular está conforme con aquélla, sino después de haberla sometido al sufragio libre del pueblo. Ya he dicho esto, pero no es inútil repetirlo.

Así, encuéntranse en la obra del legislador dos cosas aparentemente incompatibles: una empresa sobrehumana y para su ejecución una autoridad nula.

12 Los que sólo consideran a Calvino como teólogo no conocen bien la extensión de su genio. La redacción de nuestros sabios edictos, en la cual tuvo mucha parte, le hace tanto honor como su institución. Cualquiera que sea la revolución que el tiempo pueda introducir en nuestro culto, mientras el amor por la patria y por la libertad no se extinga entre nosotros, la memoria de este grande hombre no cesará de ser bendecida.

Otra dificultad que merece atención: los sabios que quieren hablar al vulgo en su lenguaje, en vez de emplear el que es peculiar a éste, y que por tanto no logran hacerse entender. Además hay miles de ideas que es imposible traducir al lenguaje del pueblo. Las miras y objetos demasiado generales como demasiado lejanos están fuera de su alcance, y no gustando los individuos de otro plan de gobierno que aquel que se relaciona con sus intereses particulares, perciben difícilmente las ventajas que sacarán de las continuas privaciones que imponen las buenas leyes. Para que un pueblo naciente pueda apreciar las sanas máximas de la política y seguir las reglas fundamentales de la razón de Estado, sería necesario que el efecto se convirtiese en causa, que el espíritu social, que debe ser la obra de la institución, presidiese a la institución misma, y que los hombres fuesen ante las leyes, lo que deben llegar a ser por ellas. Así, pues, no pudiendo el legislador emplear ni la fuerza ni el razonamiento, es de necesidad que recurra a una autoridad de otro orden que pueda arrastrar sin violencia y persuadir sin convencer.

He allí la razón por la cual los jefes de las naciones han estado obligados a recurrir en todos los tiempos a la intervención del cielo, a fin de que los pueblos, sumisos a las leyes del Estado como a las de la naturaleza, y reconociendo el mismo poder en la formación del hombre que en el de la sociedad, obedecieran con libertad y soportaran dócilmente el yugo de la felicidad pública.

Las decisiones de esta razón sublime, que está muy por encima del alcance de hombres vulgares, con las que pone el legislador en boca de los inmortales para arrastrar por medio de la pretendida autoridad divina, a aquellos a quienes no lograría excitar la prudencia humana.[13] Pero no es dado a todo hombre

13 «*E veramente* –dice Maquiavelo– *mai non fù alcuno ordinatore di leggi straordinarie in un popolo, che non ricorresse a Dio, perche altrimenti non sarebbero accettate; perche sono molti beni conosciuti da persuadere al altrui*» (Y en verdad –dice Maquiavelo– no ha existido jamás un legislador que no haya recurrido a la medicación de un dios para hacer que se acepten leyes excepcionales, las que de otro modo serían inadmisibles. En efecto, numerosos son los principios útiles cuya importancia es bien conocida por el legislador y que empero, no llevan en sí razones evidentes capaces de convencer a los demás). *Discurso sobre Tito-Livio,* Libro I, cap. XI.

hacer hablar a los dioses, ni ser creído cuando se anuncia como su intérprete. La grandeza de alma del legislador es verdadero milagro que debe probar su misión. Todo hombre puede grabar tablas y piedras, comprar un oráculo, fingir un comercio secreto con alguna divinidad, adiestrar un pájaro para que le hable al oído, o encontrar cualquiera otro medio grosero de imponerse al pueblo. Con esto, podrá tal vez por casualidad reunir una banda de insensatos, pero no fundará jamás un imperio, y su extravagante obra perecerá con él. Los vanos prestigios forman un lazo muy corredizo o pasajero; sólo la sabiduría lo hace duradero. La ley judaica, subsistente siempre, la del hijo de Ismael, que desde hace diez siglos rige la mitad del mundo, proclama todavía hoy la grandeza de los hombres que la dictaron; y mientras la orgullosa filosofía o el ciego espíritu de partido no ve en ellos más que dichosos impostores, el verdadero político admira en sus instituciones ese grande y poderoso genio que preside a las obras duraderas. Lo expuesto no quiere decir que sea preciso concluir con Warburton, que la política y la religión tengan entre nosotros un objeto común, pero sí que, en el origen de las naciones, la una sirvió de instrumento a la otra.

Capítulo VIII

DEL PUEBLO

Así como, antes de levantar un edificio, el arquitecto observa y sondea el suelo para ver si puede sostener el peso, así el sabio institutor no principia por redactar leyes buenas en sí mismas, sin antes examinar si el pueblo al cual las destina está en condiciones de soportarlas. Por esta razón Platón rehusó dar leyes a los arcadios y cireneos, sabiendo que estos dos pueblos eran ricos y que no podrían sufrir la igualdad, y por idéntico motivo se vieron en Creta buenas leyes y malos hombres, porque Minos no había disciplinado sino un pueblo lleno de vicios.

Mil naciones han brillado sobre la tierra que no habrían jamás podido soportar buenas leyes, y aun las mismas de entre ellas que hubieran podido, no han tenido sino un tiempo muy corto de vida para ello. La mayor parte de los pueblos, así como los hombres, sólo son dóciles en su juventud; en la vejez hácense incorregibles. Las costumbres una vez adquiridas y arraigados los prejuicios, es empresa peligrosa e inútil querer reformarlos. El pueblo, a semejanza de esos enfermos estúpidos y cobardes que tiemblan a la presencia del médico, no puede soportar que se toquen siquiera sus males para destruirlos.

No quiere esto decir que, como con ciertas enfermedades que trastornan el cerebro de los hombres borrándoles el recuerdo del pasado, no haya a veces en la vida de los Estados épocas violentas en que las revoluciones desarrollan en los pueblos lo que ciertas crisis en los individuos, en que el horror del pasado es reemplazado por el olvido y en que el Estado abrasado por guerras civiles renace, por decirlo así, de sus cenizas y recupera el vigor de la juventud al salir de los brazos de la muerte. Tal sucedió a Esparta en los tiempos de Licurgo, tal a Roma después de los Tarquinos, y tal entre nosotros a Holanda y a Suiza después de la expulsión de los tiranos.

Pero estos acontecimientos son raros, son excepciones cuya razón se encuentra siempre en la constitución particular del Estado exceptuado, y que no pueden tener lugar dos veces en el mismo pueblo, porque éstos pueden hacerse libres cuando están en el estado de barbarie, pero no cuando los resortes sociales se han gastado. En tal caso los desórdenes pueden destruirlos, sin que las revoluciones sean capaces de restablecerlos, cayendo dispersos y sin vitalidad tan pronto como rompen sus cadenas: les es preciso un amo y no un libertador. Pueblos libres, recordad esta máxima: "La libertad puede adquirirse, pero jamás se recobra".

La juventud no es la infancia. Hay en las naciones como en los hombres un período de juventud, o si se quiere, de madurez, que es preciso esperar antes de someterlas a la ley; pero ese período de madurez en un pueblo, no es siempre fácil de reconocer, y si se le anticipa, la labor es inútil. Pueblos hay que son susceptibles de disciplina al nacer, otros que no lo son al cabo de diez siglos. Los rusos, por ejemplo, no serán verdaderamente civilizados, porque lo fueron demasiado pronto. Pedro el Grande tenía el genio imitativo, no el verdadero genio, ése que crea y hace todo de nada. Hizo algunas cosas buenas; la mayor parte fueron extemporáneas. Vio a su pueblo sumido en la barbarie, pero no vio que no estaba en el estado de madurez requerido y quiso civilizarlo cuando era necesario aguerrirlo. Quiso hacer un pueblo de alemanes e ingleses, cuando ha debido comenzar por hacerlo de rusos, e impidió que sus súbditos fuesen jamás lo que estaban llamados a ser, por haberles persuadido de que tenían el grado de civilización de que aún carecen, a la manera de un preceptor francés que forma su discípulo para que brille en el momento de su infancia y que se le eclipse después para siempre. El imperio ruso querrá subyugar la Europa y será subyugado. Los tártaros, sus vasallos o vecinos, se convertirán en sus dueños y en los nuestros: esta revolución paréceme infalible. Todos los reyes de Europa trabajan de acuerdo para acelerarla.

Capítulo IX

CONTINUACIÓN

Así como la naturaleza ha señalado un limite a la estatura del hombre bien conformado, fuera del cual sólo produce gigantes y enanos, de igual manera ha tenido cuidado de fijar, para la mejor constitución de un Estado, los limites que su extensión puede tener, a fin de que no sea ni demasiado grande para poder ser gobernado, ni demasiado pequeño para poder sostenerse por sí mismo. Hay en todo cuerpo político un *máximum* de fuerza del cual no debería pasarse y del que a menudo se aleja a fuerza de extenderse. Mientras más se dilata el lazo social, más se debilita, siendo en general y proporcionalmente, más fuerte un pequeño Estado que uno grande.

Mil razones demuestran este principio. Primeramente la administración se hace más difícil cuanto mayores son las distancias, al igual que un peso es mayor colocado en el extremo de una gran palanca. Hácese también más onerosa a medida que los grados se multiplican, pues cada ciudad como cada distrito tiene la suya, que el pueblo paga; luego los grandes gobiernos, las satrapías, los virreinatos, que es preciso pagar más caro a medida que se asciende, y siempre a expensas del desdichado pueblo; y por último la administración suprema que lo consume todo. Tantas cargas agotan a los súbditos, quienes lejos de estar mejor gobernados con las diferentes órdenes de administración, lo están peor que si tuvieran una sola. Y después de todo, apenas si quedan recursos para los casos extraordinarios; y cuando es indispensable apelar a ellos, el Estado está ya en la víspera de su ruina.

Además de esto, no sólo la acción del gobierno es menos vigorosa y menos rápida para hacer observar las leyes, impedir las vejaciones, corregir los abusos y prevenir las sediciones que pueden intentarse en los lugares lejanos, sino que el pueblo tiene menos afección por sus jefes, a quienes no ve nunca; por la patria, que es a sus ojos como el mundo, y por sus conciudadanos cuya mayoría le son extraños. Las mismas leyes no pueden convenir a tantas provincias que difieren en costumbres, que viven en climas opuestos y que no pueden sufrir la misma forma de gobierno. Leyes diferentes, por otra parte, sólo engendran perturbaciones y confusión en pueblos, que viviendo bajo las órdenes de los mismos jefes y en comunicación continua, mezclan por medio del matrimonio personas y patrimonio. El talento permanece oculto, la virtud ignorada y el vicio impune en esa multitud de hombres desconocidos los unos de los otros y que una administración suprema reúne en un mismo lugar. Los jefes, cargados de negocios, no ven nada por sí mismos; el Estado está gobernado por subalternos. En fin, las medidas indispensables para mantener la autoridad general, a la cual tantos funcionarios alejados desean sustraerse o imponerse, absorben toda la atención pública, sin que quede tiempo para atender al bienestar del pueblo, y apenas si para su defensa en caso necesario. Es por esto por lo que una nación demasiado grande se debilita y perece aplastada bajo su propio peso.

Por otra parte, el Estado debe darse una base segura y sólida para poder resistir a las sacudidas, a agitaciones violentas que ha de experimentar y a los esfuerzos que está obligado a hacer para sostenerse, porque todos los pueblos tienen una especie de fuerza centrífuga en virtud de la cual obran constantemente unos contra otros, tendiendo a extenderse a expensas de sus vecinos, al igual de los torbellinos de Descartes. Así, los pueblos débiles corren el peligro de ser engullidos, no pudiendo ninguno conservarse sino mediante una suerte de equilibrio que haga la presión más o menos recíproca.

Por ello se deduce que hay razones para que una nación se extienda como las hay para que se estreche o limite, no siendo insignificante el talento del político que sabe encontrar entre las unas y las otras la proporción más ventajosa para la conservación del Estado. Puede decirse que, siendo en general las primeras exteriores y relativas, deben ser subvencionadas a las segundas que son internas y absolutas. Una sana y fuerte constitución es lo primero que debe buscarse, ya que es más provechoso contar sobre el vigor que resulta de un buen gobierno que sobre los recursos que proporciona un gran territorio.

Por lo demás, se han visto Estados de tal manera constituidos, que la necesidad de la conquista formaba parte de su propia existencia, y que, para sostenerse, estaban obligados a ensancharse sin cesar. Tal vez se felicitaban de esta dichosa necesidad, que les señalaba, sin embargo, junto con los limites de su grandeza, el inevitable momento de su caída.

CAPÍTULO X

CONTINUACIÓN

Un cuerpo político puede medirse o apreciarse de dos maneras, a saber: por su extensión territorial y por el número de habitantes. Existe entre una y otra manera, una relación propia para juzgar de la verdadera grandeza de una nación. El Estado lo forman los individuos y éstos se nutren de la tierra. La relación consiste, pues, en que bastando la tierra a la manutención de sus habitantes, hay tantos como puede nutrir. En esta proporción se encuentra el *máximum* de fuerza de un pueblo dado, pues si hay demasiado terreno, su vigilancia es onerosa, el cultivo insuficiente y el producto superfluo, siendo esto la causa inmediata de guerras defensivas. Si el terreno es escaso, el Estado se halla, por la necesidad de sus auxilios, a discreción de sus vecinos, constituyendo esto a su vez, la causa de guerras ofensivas.

Todo pueblo que por su posición está colocado entre la alternativa del comercio o la guerra, es en sí mismo débil; depende de sus vecinos o de los acontecimientos; tiene siempre vida incierta y corta; subyuga y cambia de situación, o es subyugado y desaparece. No puede conservarse libre sino a fuerza de pequeñez y de grandeza.

No es posible calcular con precisión la relación entre la extensión territorial y el número de habitantes, tanto a causa de las diferencias que existen en las tierras, como los grados de fertilidad, la naturaleza de sus producciones, la influencia del clima, como las que se notan en los temperamentos de los pobladores, de los cuales unos consumen poco en un país fértil y otros mucho en un suelo ingrato. Es preciso también tener en consideración la mayor o menor fecundidad de las mujeres, las condiciones más o menos favorables que tenga el país para el desarrollo de la población, la cantidad a la cual puede esperar el legislador contribuir por medio de sus instituciones, de suerte que no base su juicio sobre lo que ve sino sobre lo que prevé, ni que se atenga tanto al estado actual de la población como al que debe naturalmente alcanzar. En fin, hay muchas ocasiones en que los accidentes particulares del lugar exigen o permiten abarcar mayor extensión de terreno del que parece necesario. Así, por ejemplo, la extensión es necesaria en los países montañosos, en los cuales la producciones naturales como bosques y pastos, demandan menos trabajo, en donde la experiencia enseña que las mujeres son más fecundas que en las llanuras, y en donde la gran inclinación del suelo sólo proporciona una pequeña base horizontal, única con la cual puede contarse para la vegetación. Por el contrario, la población puede estrecharse a orillas del mar, y aun en las rocas y arenas casi estériles, tanto porque la pesca suple en gran parte los productos de la tierra cuanto porque los hombres deben estar más unidos para rechazar a los piratas, y también por disponer de mayores facilidades para la emigración de los habitantes que estén en exceso.

A estas condiciones, cuando se trata de instituir un pueblo, hay que añadir una que no puede ser reemplazada por ninguna otra, ya que sin ella, todas las demás son inútiles: el goce de la abundancia y de la paz. En el momento de su formación, un Estado, como un batallón, es menos capaz de resistencia y más fácil, por consecuencia, de destruir. La resistencia es más posible en medio de un desorden absoluto que en el instante de fermentación en el que cada cual se preocupa de su rango y nadie del peligro. Si la guerra, el hambre o la sedición surgen en condiciones tan críticas, el Estado queda infaliblemente arruinado.

No es que no existan muchos gobiernos establecidos durante esas épocas tempestuosas, pero esos mismos gobiernos son los que aniquilan el Estado. Los usurpadores preparan o escogen esos períodos de turbulencia para hacer pasar, al abrigo del terror público, leyes destructoras que el pueblo no adoptaría jamás en sangre fría. La elección del momento para la institución, es uno de los caracteres más seguros que distinguen la obra del legislador de la del tirano.

¿Qué pueblo es, pues, propio o está en aptitud de soportar

una legislación? Aquel que, encontrándose unido por algún lazo de origen, de interés o de convención, no ha sufrido aún el verdadero yugo de las leyes; el que carece de costumbres y de preocupaciones arraigadas; el que no teme sucumbir por una invasión súbita; el que sin inmiscuirse en las querellas de sus vecinos, puede resistir por sí solo a cada uno de ellos, o unido a otro rechaza cualquiera; aquel en que cada miembro puede ser reconocido de los demás, y en donde el hombre no está obligado a soportar cargas superiores a sus fuerzas; el que no necesita de otros pueblos ni de él;[14] el que sin ser rico ni pobre, se basta a sí mismo; en fin, el que reúne la consistencia de un pueblo antiguo a la docilidad de un pueblo joven. La obra de la legislación es más penosa por lo que tiene que destruir que por lo que debe establecer; y lo que hace el éxito tan raro es la imposibilidad de encontrar la sencillez de la naturaleza unida a las necesidades sociales. Todas estas condiciones, es cierto, se encuentran difícilmente juntas; por esto se ven pocos Estados bien constituidos.

Hay todavía en Europa un país capaz de legislación: la isla de Córcega. El valor y la constancia con que este bravo pueblo ha sabido recobrar y defender su libertad, merecían bien que algún hombre sabio le enseñase a conservarla. Tengo el presentimiento de que esta pequeña isla asombrará un día la Europa.

CAPÍTULO XI

14 Si de los pueblos vecinos, el uno necesita del otro, la situación que se crean resulta muy difícil para el primero y muy peligrosa para el segundo. Toda nación sabia, en caso semejante, debe esforzarse para librar a la otra de esta dependencia. La república de Tlaxcala, enclavada en el imperio de México, prefería carecer de sal antes que comprársela a los mexicanos. y menos de aceptarla gratuitamente. Los sabios tlaxcaltecas vieron la asechanza oculta bajo esta liberalidad. Se conservaron libres, y este pequeño Estado encerrado en tan grande imperio, fue al fin el instrumento de su ruina.

DE LOS DIVERSOS SISTEMAS DE LEGISLACIÓN

Si se investiga en qué consiste precisamente el mayor bien de todos o sea el fin que debe perseguir todo sistema de legislación, se descubrirá que él se reduce a los objetos principales: la *libertad* y la *igualdad*. La libertad, porque toda dependencia individual es otra tanta fuerza sustraída al cuerpo del Estado; la igualdad, porque la libertad no puede subsistir sin ella.

Ya he dicho lo que entiendo por libertad civil. En cuanto a la igualdad, no debe entenderse por tal el que los grados de poder y de riqueza sean absolutamente los mismos, sino que el primero esté al abrigo de toda violencia y que no se ejerza jamás sino en virtud del rango y de acuerdo con las leyes; y en cuanto a la riqueza, que ningún ciudadano sea suficientemente opulento para poder comprar a otro, ni ninguno bastante pobre para ser obligado a venderse, lo cual supone de parte de los grandes, moderación de bienes y de crédito, y de parte de los pequeños, moderación de avaricia y de codicia.[15]

Esta igualdad, dicen, es una idea falsa de especulación irrealizable en la práctica. Pero si el abuso es inevitable, ¿no se sigue que deje de ser necesario al menos regularlo? Precisamente porque la fuerza de las cosas tiende siempre a destruir la igualdad, la fuerza de la legislación debe siempre propender a mantenerla.

Pero estos fines generales de toda buena institución, deben modificarse en cada país según las relaciones que nacen tanto de la situación local como del carácter de los habitantes, asignando, de acuerdo con ellas, a cada pueblo, un sistema particular de

15 Si queréis dar consistencia a un Estado, aproximad todo lo posible los términos; no consintáis ni opulentos ni mendigos. Estos dos estados, naturalmente inseparables, son igualmente funestos para el bien común: del uno brotan los factores de la tiranía, del otro surgen los tiranos. Entre ellos se hace siempre el tráfico de la libertad pública: unos la compran, otros la venden.

institución, que sea el más apropiado al Estado al cual se destina. Por ejemplo: un suelo es ingrato y estéril, o la extensión del país muy reducida para los habitantes: dirigid vuestras miradas hacia la industria y la artes, cuyos productos cambiaréis por los que os hacen falta. Si por el contrario ocupáis ricas llanuras y fértiles colinas, pero escasas de habitantes, dedicad todos vuestros cuidados y esfuerzos a la agricultura, que multiplica la población, y alejad las artes que acabarían por despoblar el país agrupado en determinados puntos del territorio los pocos habitantes que existen.[16] Si ocupáis extensas y cómodas riberas, llenad el mar de navíos, dad impulso al comercio y a la navegación; tendréis una existencia corta, pero brillante. ¿Baña el mar en vuestras costas sólo peñascos casi inaccesibles?, permaneced bárbaros e ictiófagos, viviréis más tranquilos, mejor tal vez y seguramente más dichosos. En una palabra: aparte de los distintivos comunes a todos, cada pueblo encierra en sí una causa que lo dirige de una manera particular y que hace de su legislación una legislación propia y exclusiva de él. Así, en otros tiempos los hebreos y recientemente los árabes, han tenido como principal objeto la religión, los atenienses las letras, Cartago y Tiro el comercio, Rodas la marina, Esparta la guerra y Roma la virtud. El autor de *El espíritu de las leyes* ha demostrado, en multitud de ejemplos, por medio de qué arte el legislador dirige la institución hacia cada uno de estos fines.

La constitución de un Estado viene a ser verdaderamente sólida y durable, cuando las conveniencias son de tal suerte observadas, que las relaciones naturales y las leyes se hallan siempre de acuerdo, no haciendo éstas, por decirlo así, sino asegurar y rectificar aquéllas. Pero si el legislador, equivocándose en su objeto, toma un camino diferente del indicado por la na-

16 Un ramo cualquiera de comercio exterior dice M. d'Argenson, no produce sino una utilidad ficticia a un país en general: puede enriquecer a particulares y aun a algunas ciudades, pero la nación entera no gana nada, ni el pueblo experimenta mejoras.

turaleza de las cosas, es decir, tendiente el uno a la esclavitud y el otro a la libertad; el uno a las riquezas, el otro a la población; uno a la paz y otro a las conquistas, se verán las leyes debilitarse insensiblemente, la constitución alterarse y el Estado no cesar de estar agitado hasta que, destruido o modificado, la invencible naturaleza haya recobrado su imperio.

Capítulo XII

DIVISIÓN DE LAS LEYES

Para ordenar el todo o dar la mejor forma posible a la cosa pública, existen diversas relaciones que es preciso considerar. La primera, la acción del cuerpo entero obrando para consigo mismo, es decir, la relación del todo con el todo, o del soberano para con el Estado, estando compuesta esta relación de términos intermediarios, como veremos a continuación.

Las leyes que regulan esta relación toman el nombre de leyes políticas y también el de leyes fundamentales, no sin razón, si estas leyes son sabias, porque si no hay en cada Estado más que una manera de regularla, el pueblo que la encuentra debe conservarla; pero si el orden establecido es malo, ¿por qué considerar como fundamentales leyes que le impiden ser bueno? Además, en buen derecho, un pueblo es siempre dueño de cambiar sus leyes, aun las mejores, pues si le place procurarse el mal, ¿quién tiene derecho a impedírselo?

La segunda es la relación de los miembros entre sí o con el cuerpo entero, relación que debe ser en el primer caso, tan reducida, y en el segundo tan extensa, como sea posible, de suerte que cada ciudadano se halle en perfecta independencia con respecto a los otros y en una excesiva dependencia de la ciudad, lo cual se consigue siempre por los mismos medios, porque sólo la fuerza del Estado puede causar la libertad de sus miembros.

De esta relación nacen las leyes civiles.

Puede considerarse una tercera especie de relación entre el hombre y la ley, a saber: la que existe entre la desobediencia y el castigo, la cual da lugar al establecimiento de leyes penales que en el fondo no son sino la sanción de todas las demás.

A estas tres clases de leyes hay que agregar una cuarta, la más importante de todas, que no se graba ni en mármol ni en bronce, sino en el corazón de los ciudadanos, la que forma la verdadera constitución del Estado, y que adquiriendo día a día da nuevas fuerzas, reanima o suple a las leyes que envejecen o se extinguen; que conserva en el pueblo el espíritu de su institución y sustituye insensiblemente la fuerza de la costumbre a la de la autoridad. Hablo de usos, de costumbres, y sobre todo de la opinión, parte desconocida para nuestros políticos, pero de la cual depende el éxito de todas las demás leyes; parte de la cual se ocupa en secreto el legislador mientras parece limitarse a confeccionar reglamentos particulares que no son sino el arco de ese edificio, cuya inamovible llave construyenla lentamente las costumbres.

Entre estas diversas clases, las leyes políticas, que constituyen la forma de gobierno, son las únicas relativas a la materia de que trato.

LIBRO TERCERO

Antes de hablar de las varias formas de gobierno, tratemos de fijar el sentido exacto de esta palabra que no ha sido aún muy bien explicada.

CAPÍTULO I

DEL GOBIERNO EN GENERAL

Advierto al lector que este capítulo debe leerse con calma y tranquilidad, porque no conozco el arte de ser claro para quien no quiere ser atento.

En toda acción libre hay dos causas que concurren a producirla: la una moral, o sea la voluntad que determina el acto; la otra física, o sea la potencia que la ejecuta. Cuando camino hacia el objeto, necesito primeramente querer ir, y en segundo lugar, que mis pies puedan llevarme. Un paralítico que quiera correr, como un hombre ágil que no quiera, permanecerán ambos en igual situación. En el cuerpo político hay los mismos móviles: distínguense en él la fuerza y la voluntad; ésta, bajo el nombre de *poder* legislativo; la otra, bajo el de poder ejecutivo. Nada se hace o nada debe hacerse sin su concurso.

Hemos visto que el poder legislativo pertenece al pueblo y que no puede pertenecer sino a él. Por el contrario, es fácil comprender que, según los principios establecidos, el poder ejecutivo no puede pertenecer a la generalidad como legislador o soberano, porque este poder no consiste sino en actos particulares que no son del resorte de la ley, ni por consecuencia del soberano cuyos actos revisten siempre el carácter de ley.

Es preciso, pues, a la fuerza pública un agente propio que la reúna y que la emplee de acuerdo con la dirección de la voluntad general, que sirva como órgano de comunicación entre el Estado y el soberano, que desempeñe, en cierto modo, en la persona pública, el mismo papel que en el hombre la unión del alma y el cuerpo. Es ésta la razón del gobierno en el Estado, confundido intempestivamente con el cuerpo soberano del cual es sólo el ministro.

Luego, ¿qué es el gobierno? Un cuerpo intermediario establecido entre los súbditos y el soberano para su mutua comunicación, encargado de la ejecución de las leyes y del mantenimiento de la libertad tanto civil como política.

Los miembros de este cuerpo se llaman *magistrados* o *reyes,* es decir, *gobernadores,* y el cuerpo entero *príncipe.*[17] Así, pues, los que pretenden que el acto por el cual un pueblo se somete a sus jefes, no es un contrato, tienen absoluta razón. En efecto, ello sólo constituye una comisión, un empleo, en el cual, simples funcionarios del cuerpo soberano ejercen en su nombre el poder que éste ha depositado en ellos, y el cual puede limitar, modificar y resumir cuando le plazca. La enajenación de tal derecho, siendo incompatible con la naturaleza del cuerpo social, es contraria a los fines de la asociación.

Llamo, por consiguiente, *gobierno* o suprema administración, al ejercicio legítimo del Poder ejecutivo, y príncipe o magistrado, al hombre o al cuerpo encargado de esta administración.

En el gobierno se encuentran las fuerzas intermediarias, cuyas relaciones componen la del todo con el todo, o del soberano con el Estado. Puede representarse esta última relación por la de los términos de una proporción continua, cuyo medio propor-

17 Es por esto por lo que en Venecia se da al Colegio el nombre de *Serenísimo Príncipe,* aun cuando no asista el dux.

cional es el gobierno. Este recibe del cuerpo soberano las órdenes que transmite al pueblo, y para que el Estado guarde un buen equilibrio, es necesario, compensado todo, que haya igualdad entre el poder del gobierno, considerado en sí mismo, y el poder de los ciudadanos, soberanos por un lado y súbditos por el otro.

Además no se podría alterar ninguno de los tres términos sin romper al instante la proporción. Si el cuerpo soberano quiere gobernar, si el magistrado desea legislar, o si los súbditos se niegan a obedecer, el desorden sucede al orden, y no obrando la fuerza y la voluntad de acuerdo, el Estado disuelto cae en el despotismo o en la anarquía. En fin, como no existe más que un medio proporcional en cada proporción, no hay tampoco más que un solo buen gobierno posible en cada Estado; pero como mil acontecimientos pueden cambiar las relaciones de un pueblo, no solamente diferentes gobiernos pueden ser buenos a diversos pueblos, sino a uno mismo en diferentes épocas.

Para tratar de dar una idea de las diversas relaciones que pueden existir entre estos dos extremos, pondré como ejemplo la población, como relación la más fácil de explicar.

Supongamos que un Estado tiene diez mil ciudadanos. El soberano no puede considerarse sino colectivamente y en cuerpo, pero cada particular, en su calidad de súbdito, es considerado individualmente. Así, el soberano es al súbdito como diez mil a uno; es decir, que a cada miembro del Estado, le corresponde la diezmilésima parte de la autoridad soberana, aunque esté sometido enteramente a ella. Si el pueblo se compone de cien mil hombres, la condición de los súbditos no cambia, pues cada uno soporta igualmente todo el imperio de las leyes, en tanto que su sufragio, reducido a una cienmilésima, tiene diez veces menos influencia en la redacción de aquéllas. El súbdito permanece, pues, siendo uno, pero la relación del soberano aumenta en razón del número de individuos, de donde se deduce que, mientras más el Estado crece en población, más la libertad disminuye.

Cuando digo que la relación aumenta, entiendo que se aleja de la igualdad. Así, cuanto mayor es la relación en la acepción geométrica, menor es en la acepción común: en la primera, la relación, considerada según la cantidad, se mide por el exponente, y en la segunda, considerada según la identidad, se estima por la semejanza.

De consiguiente, cuanto menos se relacionen las voluntades particulares con la general, es decir, las costumbres y las leyes, mayor debe ser la fuerza reprimente. El gobierno, pues, para ser bueno, debe ser relativamente más fuerte a medida que la población crece.

Por otra parte, proporcionando el engrandecimiento del Estado a los depositarios de la autoridad pública más medios de abusar de su poder, el gobierno debe disponer de mayor fuerza para contener el xpueblo a la vez que el cuerpo soberano para contener al gobierno. No hablo aquí de una fuerza absoluta, sino de la fuerza relativa de las diversas partes del Estado.

Síguese de esta doble relación que la proporción continua entre el soberano, el príncipe y el pueblo, no es una idea arbitraria, sino una consecuencia necesaria de la naturaleza del cuerpo político. Y se desprende también que, estando uno de estos términos, el pueblo, como súbdito, representado por la unidad, siempre que la razón compuesta aumenta o disminuye, la razón simple experimenta igual transformación, cambiando por consecuencia el término medio. Esto demuestra que no hay un sistema de gobierno único y absoluto, sino tantos diferentes por su naturaleza como Estados desiguales por su extensión.

Si, ridiculizando este sistema, se dijera que, para encontrar el medio proporcional y constituir el cuerpo de gobierno, no es preciso, según mi exposición, más que extraer la raíz cuadrada de la población, respondería que sólo he tomado ésta como ejemplo, ya que las relaciones de que hablo no se miden solamente por el número de habitantes, sino en general por la cantidad de acción la cual se combina por multitud de causas. En cuanto a lo demás, si para explicarme con menos palabras, me he servido por un momento de los términos geométricos, debo decir que no ignoro que la precisión geométrica no existe al tratarse de cantidades morales.

El gobierno es en pequeño lo que el cuerpo político que lo contiene es en grande. Es una persona moral dotada de ciertas facultades, activa como el soberano, pasiva como el Estado y que puede descomponerse en otras relaciones semejantes, de las cuales nace, por consecuencia, una nueva proporción, y aun otra de ésta, según el orden de tribunales, hasta llegar a un término medio indivisible, es decir, a un solo jefe o magistrado supremo que puede ser representado en medio de esta progresión, como la unidad entre la serie de fracciones y la de los números.

Sin embrollarnos en esta multiplicación de términos, contentémonos con considerar al gobierno como un nuevo cuerpo del Estado, distinto del pueblo y del soberano e intermediario entre el uno y el otro.

Hay la diferencia esencial entre estos dos cuerpos, de que el Estado existe por sí mismo y el gobierno por el soberano. Así, la voluntad dominante del príncipe no es o no debe ser sino la voluntad general o la ley; su fuerza, la fuerza pública concentrada en él. Tan pronto como quiera ejercer por sí mismo algún acto absoluto o independiente, la relación del todo comienza a disminuir. Si llegase, en fin, el caso de que la voluntad particular del príncipe fuese más activa que la del soberano y que para obedecer a ella, hiciere uso de la fuerza pública de que dispone, de tal suerte que estableciese, por decirlo así, dos soberanías, la una de derecho y la otra de hecho, la unión social se desvanecería y el cuerpo político quedaría disuelto.

Sin embargo, para que el gobierno tenga una existencia, una vida real que le distinga del Estado; a fin de que todos sus miembros puedan obrar de acuerdo y responder al objeto para el cual ha sido instituido, es necesario un yo particular, una sensibilidad común a sus miembros, una fuerza, una voluntad propia que tienda a su conservación. Esta existencia particular supone asambleas, consejos, poder de deliberar, de resolver, derechos, títulos y privilegios que pertenezcan exclusivamente al príncipe y que hagan la condición del magistrado más honorable a medida que se hace más penosa. Las dificultades estriban en la manera de ordenar dentro del todo ese todo subalterno, de suerte que no altere la constitución general al afirmar la suya, y que distinga siempre la fuerza particular destinada a su propia conservación, de la fuerza pública destinada a la conservación del Estado, y en una palabra, que esté siempre listo a sacrificar el gobierno al pueblo y no el pueblo al gobierno.

No obstante de que el cuerpo artificial del gobierno sea la obra de otro cuerpo artificial, y que no tenga, en cierto modo, sino una vida prestada y subordinada, ello no impide el que pueda obrar con más o menos vigor y rapidez y gozar, por decirlo así, de una salud más o menos robusta. En fin, sin alejarse directamente del objeto de su institución, puede separarse según la manera como haya sido constituido.

De todas estas diferencias nacen las relaciones varias que el gobierno debe tener con el Estado, según las accidentales y particulares por medio de las cuales este mismo Estado es modificado; pues a menudo el mejor gobierno conviértese en el más vicioso, si sus relaciones no se alteran de conformidad con los defectos del cuerpo político al cual pertenece.

CAPÍTULO II

DEL PRINCIPIO QUE CONSTITUYE LAS DIVERSAS FORMAS DE GOBIERNO

Para exponer la causa general de estas diferencias, es preciso distinguir aquí el príncipe del gobierno, como he distinguido antes el Estado del soberano.

La magistratura puede ser compuesta de un mayor o menor número de miembros. Y he dicho que la relación del soberano con los súbditos era tanto más grande cuanto más numeroso era el pueblo; y por evidente analogía, puedo decir lo mismo del gobierno respecto de los magistrados.

Ahora, siendo siempre la fuerza total del gobierno la del Estado, es invariable; de lo cual se sigue que cuanto más uso haga de esta fuerza sobre sus propios miembros, menos le queda para ejercerla sobre todo el pueblo. Luego, mientras más numerosos sean los magistrados, más débil será el gobierno. Siendo esta máxima fundamental, tratemos de explicarla lo mejor posible.

Podemos distinguir en la persona del magistrado tres voluntades esencialmente diferentes: la voluntad propia del individuo, que no tiende sino a su interés particular; la voluntad común de los magistrados, que se relaciona únicamente con el bien del príncipe, y que podemos llamar voluntad de corporación, la cual es general con respecto al gobierno y particular con respecto al Estado de que forma parte aquél; y la voluntad del pueblo o voluntad soberana, que es general tanto con relación al Estado considerado como el todo, como con respecto al gobierno considerado como parte del todo.

En una legislación perfecta, la voluntad particular o individual debe ser nula; la voluntad del cuerpo, propia del gobierno, muy subordinada, y por consiguiente, la voluntad general, o soberana, siempre dominante y pauta única de todas las demás.

En el orden natural, por el contrario, estas distintas voluntades hácense más activas a medida que se concretan. Así, la voluntad general es siempre la más débil, la del cuerpo ocupa el segundo rango y la particular el primero de todos; de suerte que, en el gobierno, cada miembro se considera primeramente en sí mismo, luego como magistrado y por último como ciudadano, graduación directamente opuesta a la que exige el orden social.

Expuesto lo anterior, cuando todo el gobierno se encuentra en manos de un solo hombre, la fusión de la voluntad particular y la general es perfecta, y por consiguiente ésta alcanza el mayor grado de intensidad posible. Ahora, como del grado de la voluntad depende el uso de la fuerza, y la fuerza absoluta del gobierno no varía, dedúcese que el más activo de los gobiernos es el de uno solo.

Por el contrario, si unimos el gobierno a la autoridad legislativa, si hacemos del soberano el príncipe y de todos los ciudadanos otros tantos magistrados, la voluntad del cuerpo, confundida con la voluntad general, no tendrá más actividad que ella, y dejará la particular en el ejercicio de toda su fuerza. De esta suerte el gobierno siempre con la misma fuerza absoluta, estará en el *mínimum* de fuerza relativa o de actividad.

Estas relaciones son incontestables, estando confirmadas además por otras observaciones. Se ve, por ejemplo, que el magistrado es más activo en su cuerpo que el ciudadano en el suyo, lo cual demuestra que la voluntad particular tiene mucha más influencia en los actos del gobierno que en los del soberano, porque cada magistrado tiene casi siempre a su cargo alguna función gubernativa, en tanto que el ciudadano, considerado separadamente, no tiene ninguna función de la soberanía. Además, cuanto más se extiende el Estado, más su fuerza real aumenta, aun cuando no sea en razón de su extensión; pero como el Estado permanece el mismo, al multiplicare los magistrados, el gobierno no adquiere mayor fuerza real, puesto que esta fuerza es la del Estado, cuya medida es siempre igual. Consecuencialmente, la fuerza relativa o la actividad del gobierno disminuye sin que su fuerza absoluta o real pueda aumentar.

Es evidente también que el despacho de los negocios es más lento cuanto mayor es el número de personas encargadas de ellos: concédese demasiado a la prudencia y poco a la fortuna; no se aprovechan las ocasiones, y a fuerza de deliberar piérdese a menudo el fruto de la deliberación.

Acabo de demostrar que el gobierno se debilita a medida que los magistrados se multiplican, y también que mientras más numeroso es el pueblo, más la fuerza reprimente debe aumentar. De esto se deduce que la relación de los magistrados con el gobierno debe estar en razón inversa de la relación de los súbditos con el soberano, es decir, que cuanto más el Estado se ensancha, más el gobierno debe reducirse, de tal manera que el número de jefes disminuya en razón del aumento del pueblo.

No hablo sino de la fuerza relativa del gobierno, no de su rectitud, porque, por el contrario, cuanto más numerosos son los magistrados, más la voluntad del cuerpo se acerca a la voluntad general, en tanto que, con un magistrado único, esta misma voluntad del cuerpo se convierte, como ya he dicho, en una voluntad particular. Se pierde así, pues, por un lado lo que puede ganarse por el otro, y el arte del legislador está en saber precisar el punto en que la fuerza y la voluntad del gobierno, siempre en proporción recíproca, se combinen en la relación más ventajosa para el Estado.

Capítulo III

DIVISIÓN DE LOS GOBIERNOS

Hemos dado en el capítulo anterior la razón por la cual se distinguen las diversas especies o formas de gobierno por el número de miembros que la componen. Veamos ahora cómo se efectúa esta división.

El soberano puede, en primer lugar, confiar el depósito del gobierno a todo el pueblo o a su mayoría, de suerte que haya más ciudadanos magistrados que simples particulares. A esta forma de gobierno se da el nombre de *democracia.*

O puede también reducir o limitar el gobierno, depositándolo en manos de los menos, de manera que resulten más ciudadanos que magistrados. Este sistema toma el nombre de *aristocracia.*

Puede, por último, concentrar todo el gobierno en un magistrado único de quien los demás reciben el poder. Esta tercera forma es la más común y se llama *monarquía* o gobierno real.

Debe observarse que todas estas formas, o por lo menos, las dos primeras, son susceptibles del más o del menos y tienen una gran latitud; puesto que la democracia puede ejercerse por todo el pueblo o limitarse hasta llegar a la mitad hasta un número insignificante indeterminado. La monarquía es también susceptible de alguna participación. Esparta tuvo constantemente dos reyes por su constitución, y viose en la gran Roma hasta ocho emperadores a la vez, sin que por esto pudiera decirse que el imperio estaba dividido. Así, pues, hay un punto en el que cada forma de gobierno se confunde con la siguiente, resultando que, bajo las tres solas denominaciones anotadas el gobierno es realmente susceptible de tantas formas diversas como ciudadanos tiene el Estado.

Hay más: pudiendo este mismo gobierno, desde cierto punto de vista, subdividirse en otras formas, administrada de cierta manera una y otra de otra, puede resultar de las tres formas combinadas una multitud de formas mixtas, cada una de las cuales es multiplicable por todas las simples.

En todos los tiempos se ha disputado mucho acerca de la mejor forma de gobierno, sin considerar que cada una de ellas es la mejor en ciertos casos y la peor en otros.

Si, en los distintos Estados, el número de magistrados supremos debe estar en razón inversa del de los ciudadanos, síguese de allí que en general, el gobierno democrático conviene a los pequeños Estados, el aristocrático a los medianos y el monárquico a los grandes. Esta regla se deriva inmediatamente del principio; mas, ¿cómo contar la multitud de circunstancias que pueden suministrar las excepciones?

CAPÍTULO IV

DE LA DEMOCRACIA

El autor de la ley sabe mejor que nadie cómo debe ser ejecutada e interpretada. Parece, según esto, que no podría haber mejor constitución que aquella en la cual el poder ejecutivo estuviese unido al legislativo; mas esto mismo haría tal gobierno incapaz, desde cierto punto de vista, porque lo que debe ser distinguido, no lo es, y confundiendo el príncipe con el cuerpo soberano, no existiría por decirlo así, sino un gobierno sin gobierno.

No es bueno que el que hace las leyes las ejecute, ni que el cuerpo del pueblo distraiga su atención de las miras generales para dirigirla hacia los objetos particulares. Nada es tan peligroso como la influencia de los intereses privados en los negocios públicos, pues hasta el abuso de las leyes por parte del gobierno es menos nocivo que la corrupción del legislador, consecuencia infalible de miras particulares, toda vez que, alterando el Estado en su parte más esencial, hace toda reforma imposible. Un pueblo que no abusara jamás del gobierno, no abusaría tampoco de su independencia. Un pueblo que gobernara siempre bien, no tendría necesidad de ser gobernado.

Tomando la palabra en su rigurosa acepción, no a existido ni existirá jamás verdadera democracia. Es contra el orden natural que el mayor número gobierne y los menos sean gobernados. No es concebible que el pueblo permanezca incesantemente reunido para ocuparse de los negocios públicos, siendo fácil comprender que no podría delegar tal función sin que la forma de administración cambie.

Creo poder establecer como principio, que cuando las funciones del gobierno están divididas entre muchos tribunales, los menos numerosos adquieren tarde o temprano la mayor autoridad aun cuando sea más que por razón de facilidad para despachar los negocios. Además, ¡cuantas cosas difíciles de reunir no supone este gobierno! Primeramente, un Estado muy pequeño, en donde se pueda reunir el pueblo y en donde cada ciudadano pueda sin dificultad conocer a los demás. En segundo lugar, una gran sencillez de costumbres que prevenga o resuelva con anticipación la multitud de negocios y de deliberaciones espinosas; luego mucha igualdad en los rangos y en las fortunas, sin lo cual la igualdad de derechos y de autoridad no podría subsistir mucho tiempo, y por último, poco o ningún lujo, pues éste, hijo de las riquezas, corrompe tanto al rico como al pobre, al uno por la posesión y al otro por la codicia; entrega la patria a la molicie, a la vanidad, y arrebata al Estado todos los ciudadanos para esclavizarlos, sometiendo unos al yugo de otros y todos al de la opinión.

He aquí el por qué un autor célebre ha dado por fundamento a la república la virtud, sin la cual estas condiciones no podrían subsistir, pero por no haber hecho las distinciones necesarias, este genio ha carecido a menudo de precisión, en ocasiones de claridad, y no ha visto que, siendo la autoridad soberana en todas parte, la misma, el mismo fundamento debe ser el de todo Estado bien constituido, más o menos, es cierto, según la forma del gobierno.

Añadamos a esto que no hay gobierno que esté tan sujeto a las guerras civiles y a las agitaciones intestinas como el democrático o popular, a causa de que no hay tampoco ninguno que tienda tan continuamente a cambiar de forma, ni que exija más vigilancia y valor para sostenerse. Bajo este sistema debe el ciudadano armarse de fuerza y de constancia y repetir todos los días en el fondo de su corazón lo que decía el virtuoso Palatino[18] en la dieta de Polonia: *Malo periculosam libertatem quam quietum servilium.**

Si hubiera un pueblo de dioses, se gobernaría democráticamente. Un gobierno tan perfecto no conviene a los hombres.

18 El Palatino de Posnania, padre del rey de Polonia duque de Lorena.

* «Prefiero una libertad arriegada a una esclavitud tranquila.» [*N. del T.*]

CAPÍTULO V

DE LA ARISTOCRACIA

Esta forma de gobierno tiene dos personas morales muy distintas; el gobierno y el soberano, y por consiguiente dos voluntades generales, una con relación a todos los ciudadanos, la otra con relación a los miembros de la administración solamente. Así, aunque el gobierno pueda arreglar como le plazca su régimen interno, no puede jamás hablarle al pueblo sino en nombre del soberano, es decir, del pueblo mismo, cosa que no debemos olvidar.

Las primeras sociedades se gobernaron aristocráticamente. Los jefes de las familias deliberaban entre ellos acerca de los negocios públicos. Los jóvenes cedían sin trabajo a la autoridad de la experiencia. De allí los nombres de *patriarcas, ancianos, senado, gerontes.* Los salvajes de la América septentrional se gobiernan todavía en nuestros días así, y están muy bien gobernados.

Pero a medida que la desigualdad de institución sobrepujó a la desigualdad natural, la riqueza o el poder[19] fueron preferidos a la edad y la aristocracia hízose electiva. Finalmente, el poder se transmitió junto con los bienes, de padres a hijos, dando origen a las familias patricias y convirtiendo el gobierno en hereditario. Viose en él senadores de veinte años.

Hay, pues, tres clases de aristocracia: natural, electiva y hereditaria. La primera no es propia sino de pueblos sencillos; la tercera constituye el peor de todos los gobiernos. La segunda es la mejor, es la aristocracia propiamente dicha.

Aparte de la ventaja de la distinción de los dos poderes, esta aristocracia tiene la de la elección de sus miembros; pues en tanto que en el gobierno popular todos los ciudadanos nacen magistrados, en éste están limitados a un pequeño número,

19 Es claro que la palabra optimates, entre los antiguos, no quería decir los mejores, sino los más poderosos.

llegando serlo únicamente por elección,[20] medio por el cual la probidad, la ilustración, la experiencia y todas las demás razones de preferencia y de estimación públicas, vienen a ser otras tantas garantías de que se estará sabiamente gobernado.

Además, las asambleas se constituyen más cómodamente; los asuntos se discuten mejor, despachándolos con más orden y diligencia, y hasta el crédito del Estado estará mejor sostenido en el extranjero por venerables senadores, que por una multitud desconocida o despreciada.

En una palabra, lo mejor y lo más natural es que los más sabios gobiernen a las multitudes, cuando se está seguro de que las gobernarán en provecho de ellas y no en el de ellos. No deben multiplicarse inútilmente los resortes, ni emplear veinticinco mil hombres en lo que cien escogidos pueden llevar a cabo mejor. Pero es preciso hacer notar que el interés del cuerpo, en tal caso, comienza a dirigir la fuerza pública menos en armonía con la voluntad general y que una inclinación inevitable quita a las leyes una parte de su poder ejecutivo.

En cuanto a las conveniencias particulares, no es preciso que el Estado sea tan pequeño ni el pueblo tan sencillo y recto que la ejecución de las leyes proceda inmediatamente de la voluntad pública como en una buena democracia. No es necesario tampoco una nación tan grande que los jefes esparcidos para gobernarla puedan separarse del soberano, y comenzando por declararse independientes, terminen por convertirse en amos.

Pero si la aristocracia exige menos virtudes que el gobierno popular, exige otras que son propias, como la moderación en las riquezas y el contento o satisfacción en los pobres. Una igualdad rigurosa no tendría en ella cabida. No fue observada ni en Esparta.

20 Importa mucho regular por medio de las leyes la forma de la elección de los magistrados, porque si se abandona a la voluntad del príncipe, no se puede evitar caer en la aristocracia hereditaria, como sucedió en las repúblicas de Venecia y Berna. La primera es un Estado disuelto hace mucho tiempo, la segunda se sostiene con vida debido a la sabiduría de su Senado. Esta es una excepción tan honrosa como peligrosa.

Por otra parte, si esta forma tolera cierta desigualdad en las fortunas, es porque en general la administración de los negocios públicos está confiada a los que mejor pueden dedicar a ella su tiempo, y no, como pretende Aristóteles, porque los ricos sean siempre preferidos. Por el contrario, es importante que una elección opuesta enseñe y demuestre al pueblo, que hay en el mérito de los hombres razones de preferencia más importantes que las que otorga o proporciona la riqueza.

Capítulo VI

DE LA MONARQUÍA

Hasta aquí hemos considerado al príncipe como una persona moral y colectiva, unida por la fuerza de las leyes y depositaria en el Estado del poder ejecutivo. Tenemos ahora que considerar este poder concentrado en las manos de una persona natural, de un hombre real, único que tenga derecho a disponer de él en conformidad con las leyes. A esta persona, se le llama monarca o rey.

Al contrario de lo que acontece en las otras administraciones, en las que un ser colectivo representa un individuo, en el sistema monárquico un individuo representa una colectividad, de suerte que la unidad moral que constituye el príncipe, es a la vez una unidad física, en la cual se encuentran reunidas naturalmente to das las facultades que la ley reúne mediante tantos esfuerzos en la otra.

De este modo, la voluntad del pueblo, la del príncipe, la fuerza pública del Estado y la particular del gobierno, todas responden al mismo móvil, todos los resortes de la máquina están en una sola mano, todo marcha hacia el mismo fin; no hay movimientos opuestos que se destruyan mutuamente, y no se puede imaginar ningún mecanismo en el cual un tan pequeño esfuerzo produzca una acción más considerable. Arquímedes, sentado tranquilamente en la playa y sacando a flote sin trabajo un gran navío, me representa un monarca hábil, gobernando desde su gabinete sus vastos Estados y haciendo mover todo, no obstante permanecer en apariencia inmóvil.

Pero si no hay gobierno más vigoroso, no hay tampoco otro en el que la voluntad particular ejerza mayor imperio y domine con más facilidad las otras. Todo tiende hacia el mismo fin, es cierto, pero éste no es el de la felicidad pública, y la fuerza misma de la administración se cambia sin cesar en perjuicio y con detrimento del Estado.

Los reyes desean ser absolutos, y desde lejos se les grita que el mejor medio para serlo es hacerse amar de sus pueblos. Esta máxima es muy bella, y hasta muy cierta, desde cierto punto de vista, pero desgraciadamente se burlarán siempre de ella en las cortes. El poder que procede del amor de los pueblos, es sin duda el más grande, pero es un poder precario y condicional, con el que los príncipes no se contentarían nunca. Los mejores quieren ser malos sin dejar de ser los dueños. Por más que un predicador político les diga que, siendo su fuerza la del pueblo, su mayor interés debe ser el que éste florezca numeroso, temible, ellos saben bien que esto es falso. Su interés personal exige antes que todo que el pueblo sea débil, miserable y que no pueda jamás resistirles. Declaro que sólo suponiendo a los súbditos siempre perfectamente sumisos, tendría interés el príncipe en que el pueblo fuese poderoso, a fin de que siendo este poder el suyo, le hiciera temible a sus vecinos; pero como este interés es secundario y subordinado, y las dos suposiciones son incompatibles, es natural que los reyes den siempre la preferencia a la máxima que les es más útil. Esto era lo que Samuel recordaba constantemente a los hebreos y lo que Maquiavelo ha demostrado hasta la evidencia. Fingiendo enseñar o dar lecciones a los reyes, las ha dado muy grandes a los pueblos. *El príncipe,* de Maquiavelo, es el libro de los republicanos.[21]

21 Maquiavelo era un hombre honrado y un buen ciudadano; pero atado a la casa de Médicis, estaba obligado, dada la opresión en que yacía su patria, a disfrazar su amor por la libertad. La sola elección de su execrable héroe (César Borgia), manifiesta suficientemente su secreta intención: y la divergencia entre las máximas de su

Hemos visto ya por las relaciones generales, que la monarquía no es conveniente sino a los grandes Estados, lo cual demostraremos aún, examinándola en sí misma. Mientras más numerosa es la administración pública, más disminuye la relación del príncipe con los súbditos y más se aproxima de la igualdad, de suerte que tal relación es la misma que constituye la igualdad en las democracias. Esta relación aumenta a medida que el gobierno se estrecha o limita, llegando a su *máximum* cuando se concentra en las manos de uno solo. Entonces el príncipe y el pueblo se encuentran a una grandísima distancia y el Estado carece de unión. Para formarla se hacen necesarias clases o categorías intermediarias, esto es: príncipes, grandes, la nobleza, en una palabra. Nada de esto conviene a un Estado pequeño, puesto que se arruinaría con tantas jerarquías.

Si es difícil gobernar un gran Estado, la dificultad es aún mayor siéndolo por un solo hombre, y todos saben lo que acontece cuando el rey se da sustitutos.

Un defecto esencial e inevitable que hará siempre inferior el gobierno monárquico al republicano, es que en éste el voto popular casi siempre lleva a los primeros puestos a hombres esclarecidos y capaces, que hacen honor a sus cargos, en tanto que los que surgen en las monarquías, no son a menudo sino chismosos, bribonzuelos e intrigantes, talentos mediocres que una vez elevados a las altas dignidades de la corte, no sirven sino para demostrar al público su ineptitud. El pueblo se equivoca menos en esta elección que el príncipe, siendo casi tan raro encontrar un hombre de verdadero mérito en el ministerio como ver a un tonto a la cabeza de un gobierno republicano. Así, cuando por una

---

libro *El príncipe* con las de su *Discurso sobre Tito Livio* y su *Historia de Florencia,* demuestra que este profundo político no ha tenido hasta ahora más que lectores superficiales y corrompidos. La corte de Roma ha prohibido severamente su libro: lo comprendo, puesto que es a la que más claramente ha puesto de relieve (nota añadida a la edición de 1782).

feliz casualidad, uno de esos hombres nacidos para gobernar, toma las riendas del gobierno en una monarquía casi arruinada por esa turba de administradores, queda uno sorprendido de los recursos que encuentra, hasta tal punto, que su período forma época en el país.

Para que un Estado monárquico pueda ser bien gobernado, necesita que su grandeza o extensión esté en relación con las facultades del que gobierna. Es más fácil conquistar que regir los destinos de una nación. Con una palanca suficiente, puédese con un dedo levantar el mundo, pero para sostenerlo son necesarias las espaldas de un Hércules. Por pequeño que sea un Estado, el príncipe es casi siempre más pequeño. Cuando, por el contrario, resulta que el Estado es demasiado pequeño para el jefe, lo que es muy raro, es también mal gobernado, porque éste, siguiendo siempre la grandeza de sus miras, olvida los intereses del pueblo, haciéndolo tan desgraciado por el abuso de sus grandes talentos como pudiera hacerlo un jefe que careciera de ellos. Sería preciso, por decirlo así, que un reino se extendiese o se limitase a cada reinado según el alcance o aptitud del rey, en tanto que, teniendo un Senado capacidades más fijas y determinadas, el Estado puede tener límites constantes, sin que la administración marche por ello menos bien.

El inconveniente más sensible en el gobierno de uno solo es la falta de esa sucesión continua que establece en los otros dos sistemas una conexión no interrumpida. Muerto un rey, se hace necesario otro, y las elecciones dan lugar a intervalos peligrosos; hácense tempestuosas, y a menos que los ciudadanos sean de un desprendimiento y de una integridad tales, que esta clase de gobierno no permite, la intriga y la corrupción apodéranse de ellas. Es difícil que aquel a quien el Estado se ha vendido, no lo venda a su vez para indemnizarse a expensas de los débiles del dinero que los poderosos le han arrebatado. Tarde o temprano la venalidad imperará en una administración semejante, y la paz de que se disfruta entonces bajo los reyes, es peor que el desorden de los interregnos.

¿Qué se ha hecho para prevenir estos males? La corona se ha hecho hereditaria en ciertas familias, estableciendo un orden de sucesión que evite toda disputa a la muerte de los reyes, es decir, se ha sustituido el inconveniente de las elecciones por el de las regencias, se ha preferido una aparente tranquilidad a una administración sabia, corriendo el riesgo de tener por jefes a niños, a monstruos, a imbéciles, antes que tener que discutir la elección de buenos reyes. No se ha tenido en consideración que exponiéndose a los riesgos de la alternativa, se tienen casi todas las probabilidades en contra. Fue muy atinada la frase del joven Dionisio, a quien su padre, reprochándole una acción vergonzosa, le dijo: "¿Te he dado yo el ejemplo?" Y éste le respondió: "¡Ah! Vuestro padre no era rey".

Todo concurre para privar de justicia y de razón a un hombre elevado para mandar a los demás. Se toma mucho trabajo, según dicen, para enseñar a los jóvenes príncipes el arte de reinar, pero parece que esta educación no les sirve de nada. Sería mejor comenzar por enseñarles el arte de obedecer. Los más grandes reyes celebrados por la historia, no han sido educados para reinar. Esta es una ciencia que se posee menos cuanto más se aprende y que se adquiere mejor obedeciendo que mandando. *Nam utilissimus idem ac brevissimus bonarum malarumque rerum delectus, cogitare quid aut nolueris sub alio Principe, aut volueris.**

Consecuencia o efecto de esta falta de coherencia, es la inconstancia del gobierno monárquico, que, siguiendo ya un plan, ya otro, según el carácter del príncipe o de los que por él reinan, no puede tener por mucho tiempo un objeto fijo ni una conducta consecuente, variación que hace vacilar al Estado, llevándolo de máxima en máxima y de proyecto en proyecto, cosa que no sucede en los otros sistemas de gobierno, en los cuales el príncipe es siempre el mismo. Así, obsérvase en general,

*«Pues el medio más cómodo y más rápido de distinguir el bien del mal es preguntarse lo que tú habrías o no querido si otro, y no tú, hubiera sido rey» (Tácito, *Historias*, Libro I). [*N. del T.*]

que si hay más astucia en una corte, hay más sabiduría en un Senado, y que las repúblicas caminan hacia el fin que se proponen siguiendo vías más rectas y constantes, al paso en que el sistema monárquico, cada revolución en el ministerio produce otra en el Estado, siendo máxima común a todos los ministros y casi a todos los reyes, el hacer en todo lo contrario de lo que han hecho sus predecesores.

De esta misma incoherencia se saca la solución de un sofisma muy familiar a los políticos realistas, el cual consiste. no solamente en comparar el gobierno civil con el doméstico y el príncipe con el padre de familia, error ya refutado, sino en conceder con liberalidad a tal magistrado todas las virtudes que le son necesarias, suponiéndolo o considerándolo siempre como lo que debía ser; suposición con ayuda de la cual el gobierno monárquico resulta evidentemente preferible a todos los demás, puesto que es incontestablemente el más fuerte, y el cual sería también el mejor si no careciera, como carece, de una voluntad de cuerpo más en conformidad con la voluntad general.

Pero si, según Platón,[22] el rey por naturaleza es un personaje tan raro, ¿cuántas veces la naturaleza y la fortuna concurren a coronarlo? Y si la educación regia corrompe necesariamente a los que la reciben, ¿qué debe esperarse de una serie de hombres educados para reinar? Es, pues, querer engañarse, confundir el gobierno real con el de un buen rey. Para saber lo que es este gobierno en sí mismo, es preciso considerarlo en mano de príncipes estúpidos o perversos, porque, o lo son al subir al trono o el trono los convertirá en tales.

Estas dificultades no se han escapado a nuestros autores; pero ellas no les han servido de obstáculo. El remedio, dicen, es obedecer sin murmurar. Dios en su cólera nos da malos reyes, luego hay que sufrirlos como castigo del cielo. Este razonamiento es edificante sin duda, pero no sé si convendría mejor emplearlo en el púlpito que en un libro de política. ¿Qué di-

22 In Civili.

ríamos de un médico que prometiendo hacer milagros, todo su arte consista en exhortar a sus enfermos a la paciencia? Se sabe que cuando se tiene un mal gobierno hay que sufrirlo; la cuestión estriba en encontrar uno bueno.

Capítulo VII

DE LOS GOBIERNOS MIXTOS

Para hablar con propiedad, no hay gobierno cuya forma sea simple. Es necesario que un jefe único tenga magistrados subalternos, y que un gobierno popular tenga un jefe. Así, en la participación del poder ejecutivo, existe siempre una graduación del mayor al menor número, con la diferencia de que tan pronto el mayor depende del menor, como tan pronto éste de aquél.

Algunas veces la participación es igual, ya sea cuando las partes constitutivas están en una dependencia mutua, como en el gobierno de Inglaterra, ya cuando la autoridad de las partes es, aunque de manera imperfecta, independiente una de la otra, como en Polonia. Esta última forma es mala, porque no hay unidad en el gobierno y porque el Estado carece de enlace o conexión.

¿Cuál de los dos sistemas de gobierno es el mejor, el simple o el mixto? Cuestión ésta muy debatida entre los políticos y a la cual es preciso dar la misma respuesta que he dado con respecto a todas las demás formas de gobierno.

El sistema simple es el mejor por el hecho mismo de ser simple. Pero cuando el poder ejecutivo no depende lo bastante del legislativo, es decir, cuando la relación del príncipe con el cuerpo soberano es mayor que la del pueblo con el príncipe, es necesario remediar esta falta de proporción dividiendo el gobierno, de suerte que todas sus partes tengan igual autoridad sobre los súbditos y que la división las haga en conjunto menos fuertes contra el soberano.

Evítase también el mismo inconveniente nombrando magistrados intermediarios que, dejando intacto al gobierno, sirvan únicamente para equilibrar los dos poderes manteniendo sus respectivos derechos. Entonces el gobierno no es mixto, sino templado.

Puede remediarse el inconveniente contrario por medios semejantes, erigiendo tribunales para concentrar el gobierno cuando tiene demasiada extensión. Esta práctica es de uso corriente en las democracias. En el primer caso, se divide el gobierno para debilitarlo y en el segundo para fortalecerlo, porque el *máximum* de fuerza y de debilidad se encuentra igualmente en las formas simples, en tanto que las mixtas producen una fuerza mediana.

CAPÍTULO VIII

NO TODA FORMA DE GOBIERNO ES PROPIA A TODO PAÍS

No siendo la libertad fruto de todos los climas, no está por tanto al alcance de todos los pueblos. Cuanto más se medita sobre este principio establecido por Montesquieu, más se penetra uno de su realidad; mientras más en duda se pone, más ocasiones se presentan para confirmarlo con nuevas pruebas.

En todos los gobiernos del mundo, la persona pública consume y no produce nada. ¿De dónde, pues, saca la sustancia que consume? Del trabajo de sus miembros. Lo superfluo para los particulares constituye lo necesario para el público, de lo cual se sigue que el estado civil no puede subsistir sino en tanto que el trabajo de los individuos produzca más de lo que exigen sus necesidades.

Ahora, este excedente no es el mismo en todos los países. En muchos es considerable, en otros mediocre; nulo en algunos y negativo en varios. Esta relación depende de la fertilidad del clima, de la clase de trabajo que la tierra exige, de la naturaleza de sus producciones, de la fuerza de sus habitantes, de la mayor o menor consumación y de muchas otras relaciones semejantes.

Por otra parte, todos los gobiernos no son tampoco de igual naturaleza; los hay más o menos voraces, fundándose]as diferencias en el principio de que, mientras más se alejan las contribuciones de su origen, tanto más onerosas son. Su medida no debe hacerse por la cantidad, sino por el camino que tienen que recorrer para volver a las manos de donde han salido. Cuando esta circulación es pronta y bien establecida, poco o mucho que el pueblo pague, es siempre rico y las finanzas marchan bien. Cuando por el contrario, por poco que el pueblo dé, este poco no vuelve a sus manos; dando continuamente, pronto se arruina: el Estado no es nunca rico y el pueblo es siempre pobre.

Síguese de esto que los tributos son más onerosos a medida que la distancia entre el pueblo y el gobierno aumenta. Así resulta que en la democracia el pueblo está menos cargado de contribuciones, en la aristocracia más; y en la monarquía soporta el *máximum.* La monarquía no conviene, pues, sino a las naciones opulentas, la aristocracia a los Estados mediocres en riqueza y la democracia a los pequeños y pobres.

Cuanto más se reflexiona, en efecto, mejor se descubre la diferencia en esto entre los Estados libres y los monárquicos. En los primeros, todo se emplea en provecho común; en los segundos, las fuerzas públicas y las particulares son recíprocas, y por consiguiente, las unas aumentan con detrimento de las otras: en fin, en vez de gobernar a los súbditos para hacerlos dichosos, el despotismo los hace miserables para gobernarlos.

Se ve, pues, que en cada clima existen causas naturales que pueden servir de norma para establecer la forma de gobierno adecuada, y hasta para decir qué clase de habitantes debe tener.

Los terrenos ingratos y estériles cuyo producto no compensa el trabajo, deben ser habitados por pueblos bárbaros, porque toda política en ellos sería imposible; los lugares en donde el exceso de la producción es mediano, conviene a los pueblos libres, y aquellos cuyo terreno abundante y fértil produce mucho con poco trabajo, demandan ser gobernados monárquicamente para que el lujo del príncipe consuma el exceso de lo superfluo para los súbditos, porque vale más que este exceso sea absorbido por el gobierno que disipado por los particulares. Hay excepciones, lo sé; pero éstas confirman la regla, produciendo tarde o temprano revoluciones que restablecen el orden natural de las cosas.

Distingamos siempre las leyes generales de las causas particulares que pueden modificar el efecto de aquéllas. Aun cuando todo el Mediodía fuese cubierto de Estados republicanos y de despóticos el Norte, no sería por ello menos cierto que, por los efectos del clima, el despotismo conviene a los climas cálidos, la barbarie a los países fríos y la buena *política* a las regiones intermediarias. Convengo en que, aceptando el principio, se podrá discutir sobre su aplicación, diciendo que hay países fríos muy fértiles y meridionales ingratos y estériles; pero esta dificultad no lo es sino para aquellos que no examinan las cosas en todas sus relaciones. Es preciso, como ya he dicho, tener en cuenta las de trabajo, las de fuerza, las de consumo, etcétera.

Supongamos que de dos terrenos iguales, uno produce cinco y el otro diez. Si los habitantes del primero consumen cuatro y los del segundo nueve, el exceso del primero será un quinto y el del segundo un décimo. Siendo la relación de estos dos excesos inversa de la de los productos, resulta que el terreno que produce cinco dará un superfluo doble del que produce diez.

Pero no se trata de un producto doble, y no creo que nadie se atreva a poner en comparación, en general, la fertilidad de los países fríos con la de los cálidos. Mas, con todo, aceptemos esta igualdad; coloquemos, si se quiere, en la balanza, a Inglaterra y Sicilia, a Polonia y a Egipto; más al Mediodía, al Africa y las Indias; hacia el Norte, no tenemos nada. ¡Cuánta diferencia de cultivo no existe sin embargo en esta igualdad de producto! En Sicilia no hay más que escarbar la tierra; en Inglaterra ¡qué de cuidados para labrarla! Luego, allí donde se necesita mayor número de brazos para obtener el mismo producto, el superfluo debe ser necesariamente menor.

Considérese, además, que la misma cantidad de hombres consume menos en los países cálidos. El clima exige la sobriedad y la moderación para poder gozar de salud: los europeos que quieren vivir en esos países como viven en el suyo, perecen todos de disentería e indigestión. "Somos –dice Chardin– bestias carniceras, lobos, comparados con los asiáticos. Algunos atribuyen la sobriedad de los persas a la escasez de cultivo de su país, y yo creo, por el contrario, que el país es menos abundante porque sus habitantes necesitan menos. Si su frugalidad –continúa Chardin– fuese efecto de la carestía del país, sólo los pobres comerían poco, cuando generalmente, es todo el mundo; también se comería más o menos en determinadas provincias según la fertilidad del suelo, en tanto que la sobriedad es igual en todo el reino. Ellos están muy satisfechos de su manera de vivir, diciendo que basta sólo mirar en su tez para reconocer que es superior a la de los cristianos. En efecto, la tez del persa es lisa, fina y tersa, mientras que la de los armenios, sus súbditos, que viven a la europea, es áspera y rojiza y sus cuerpos gruesos y pesados."

Cuanto más próximos están de la línea ecuatorial de menos viven los pueblos. No comen casi carne; el arroz, el maíz, el cuscús, el mijo y el cazabe constituyen su alimento ordinario. Existen en las Indias millones de hombres cuya nutrición no cuesta un centavo diario. En Europa misma vemos diferencias sensibles en el apetito entre los pueblos del Norte y los del Mediodía. Un español vivirá ocho días con la comida de un alemán. En los países en donde los habitantes son más voraces, el lujo se inclina hacia el consumo; en Inglaterra se manifiesta en una mesa cargada de viandas; en Italia os regalan con dulces y flores.

El lujo en los vestidos ofrece diferencias semejantes. En los climas en donde los cambios de estación son bruscos y violentos, se usan trajes mejores y más sencillos; en aquellos donde se viste sólo por la compostura, se busca más el brillo que la utilidad: los vestidos en sí mismos constituyen un lujo. En Nápoles, se ve todos los días pasear por el Posilipo hombres con chaquetas doradas y sin medias. La misma cosa acontece respecto a los edificios: se consagra todo a la magnificencia cuando no se teme a los elementos. En París y en Londres se desea vivir en viviendas cómodas y confortables; en Madrid hay soberbios salones, pero sin ventanas que preserven de la intemperie, y los dormitorios son nidos de ratas.

Los alimentos son mucho más sustanciosos y suculentos en los países cálidos, siendo ésta una tercera diferencia que no puede dejar de influir en la segunda. ¿Por qué se come tanta legumbre en Italia? Porque son buenas, nutritivas y de un gusto excelente. En Francia, donde se cultivan con agua solamente, no alimentan y no son casi tenidas en cuenta; sin embargo, no ocupan por eso menos extensión de terreno ni demanda cuidado su cultivo. Demostrado está por la experiencia que los trigos de Berbería, inferiores a los de Francia, rinden mucho más harina que éstos, y los de Francia a su vez producen más que los del Norte. De allí se puede inferir que una graduación semejante se observa generalmente en la misma dirección del Ecuador al Polo. Ahora bien; ¿no es una visible desventaja obtener con un producto igual menor cantidad de alimento?

A estas diferentes observaciones puedo añadir otra que se deriva de ellas y que las confirman, y es que los países cálidos tienen menos necesidad de población que los fríos, pudiendo sin embargo alimentar más que éstos, lo cual produce un superfluo doble siempre en ventaja del despotismo. Mientras mayor es la extensión de terreno que ocupa un número determinado de habitantes, más difíciles se hacen las revoluciones, puesto que su concierto no puede efectuarse, como es preciso, rápida y secretamente, siendo fácil para el gobierno descubrir los conatos y cortar las comunicaciones. Pero cuanto más se estrecha un pueblo numeroso, menos posibilidad de usurpación existe por parte del gobierno: los jefes deliberan en sus cámaras con tanta seguridad como el príncipe en su consejo, y el pueblo se reúne en las plazas con la misma prontitud que las tropas en sus cuarteles. La ventaja, pues, para un gobierno tiránico en este caso, está en obrar a grandes distancias. Con la ayuda de los puntos de apoyo que se proporciona, su fuerza aumenta con la distancia como la de una palanca.[23] La del pueblo, por el contrario, sólo obra concentrada: se evapora y se pierde al extenderse como el efecto de la pólvora esparcida en el suelo, que arde grano por grano. Los países menos poblados son por esta razón los más propios a la tiranía: las bestias feroces sólo reinan en el desierto.

CAPÍTULO IX

DE LOS SIGNOS DE UN BUEN GOBIERNO

Cuando se pregunta en absoluto cuál es el mejor gobierno, se establece una cuestión insoluble como indeterminada, o si se quiere, que tiene tantas soluciones buenas como combinaciones son posibles en las posiciones absolutas y relativas de los pueblos.

Mas, si se preguntara, por qué signo puede reconocerse si un pueblo dado está bien o mal gobernado, la cosa cambiaría de aspecto y la cuestión podría de hecho resolverse.

Sin embargo, no se resuelve, porque cada cual quiere resolverla a su manera. Los súbditos ensalzan la tranquilidad pública, los ciudadanos la libertad individual; el uno prefiere la seguridad

23 Esto no contradice lo que he dicho antes en el cap. IX, libro II, sobre los inconvenientes de los grandes Estados; puesto que allí se trataba de la autoridad del gobierno sobre sus miembros y aquí de su fuerza sobre los súbditos. Los miembros esparcidos le sirven de punto de apoyo para obrar desde lejos sobre el pueblo, pero carece de este apoyo para proceder directamente contra aquéllos. Así, en el primer caso, la distancia debilita su acción, en el segundo la fortalece.

de la posesión, el otro la de las personas; éste dice que el mejor gobierno debe ser el más severo; aquél sostiene que el más suave; cuál quiere el castigo del crimen, cuál su prevención; el uno considera que es conveniente hacerse temer de sus vecinos, el otro que es preferible permanecer ignorado; quién se contenta con que el dinero circule, quién exige que el pueblo tenga pan. Pero aun cuando se llegase a un acuerdo sobre estos puntos y otros semejantes, ¿qué más se habría avanzado? Las cualidades morales carecen de medida precisa; luego, aun estando de acuerdo respecto del signo, ¿cómo estarlo acerca de su apreciación?

En cuanto a mí, me sorprende el que se desconozca un signo tan sencillo o que se tenga la mala fe de no estar de acuerdo con él. ¿Cuál es el fin de la asociación política? La conservación y la prosperidad de sus miembros. Y ¿cuál es el signo más seguro de que se conservan y prosperan? El número y la población. No vayáis, pues, a buscar en otra parte tan disputado signo. El gobierno bajo el cual, sin extraños medios, sin colonias, los ciudadanos se multiplican, es infaliblemente el mejor. Aquel bajo el cual un pueblo disminuye y decae, es el peor. Calculadores; el asunto es ahora de vuestra incumbencia: contad, medid y comparad.[24]

24 De acuerdo con el mismo principio deben juzgarse los siglos que merecen la preferencia por la prosperidad del género humano. Se han admirado demasiado aquellos en que han florecido las letras y las artes, sin penetrar el objeto secreto de su cultura, ni considerar sus funestos efectos: *Idque apud imperitos humanitas vocabatur, cum pars servitutis esset* [Los tontos llaman humanidad, lo que era ya un comienzo de esclavitud]. ¿No veremos jamás en las máximas de ciertos autores, el grosero interés que los hace hablar? No; por más que digan, cuando a pesar de su esplendor un país se despuebla, no es cierto que todo marche bien. No hasta que un poeta tenga cien mil libras de renta para dar la preferencia a su siglo. Es menos necesario mirar y atender al reposo aparente y a la tranquilidad de los jefes, que al bienestar de las naciones, y sobre todo al de los Estados grandes. El granizo arruina algunos cantones, pero rara vez produce la carestía. Los motines, las guerras civiles espantan mucho a

CAPÍTULO X

DEL ABUSO DEL GOBIERNO Y DE SU INCLINACIÓN A DEGENERAR

Así como la voluntad particular obra sin cesar contra la general, así el gobierno ejerce un continuo esfuerzo contra la soberanía. A medida que este esfuerzo aumenta, la constitución se altera, y como no existe otra voluntad de cuerpo que resistiendo a la del príncipe sostenga el equilibrio, resulta que tarde o temprano ésta oprime a aquélla rompiendo el contrato social. Tal es el vicio inherente e inevitable que desde la aparición del cuerpo político tiende sin descanso a destruirle, como la vejez y la muerte destruyen al fin el cuerpo humano.

Existen dos vías o medios generales por los cuales un gobierno degenera, a saber: cuando se concentra o cuando el Estado se disuelve.

El gobierno se concentra cuando pasa del gran número al pequeño, es decir, de la democracia a la aristocracia y de ésta a la

---

los jefes, pero ellas no constituyen las verdaderas desgracias de los pueblos, que pueden tener un descanso o alivio durante el período en que se disputa a quién tocará tiranizarlos. De su estado permanente es de donde nacen su prosperidad o sus calamidades reales. Cuando la tiranía impera en un pueblo, todo decae, y es entonces cuando los jefes con facilidad lo aniquilan, *ubi solitudinem faciunt, pacem appellant* [... crean soledad, y a eso le llaman paz]. Cuando las desavenencias de los grandes agitaban a Francia y el coadjutor de París iba al Parlamento con un puñal en el bolsillo, el pueblo vivía, numeroso y feliz, disfrutando. de una honrada y libre abundancia. En otros tiempos Grecia floreció en el seno de las guerras más crueles: la sangre corría a mares y, sin embargo, el país permanecía cubierto de hombres. Parecía, dice Maquiavelo, que en medio de los asesinatos, de las proscripciones y de las guerras civiles, nuestra República adquiría mayor poderío: la virtud de sus ciudadanos, sus costumbres, su independencia, tenían más efecto para fortalecerla que todas sus disensiones para debilitarla. Las vicisitudes fortifican las almas. La especie prospera más a la sombra de la libertad que al abrigo de la paz.

monarquía. Esta es su inclinación natural.[25] Si retrogradase del pequeño número al grande, podría decirse que su intensidad se relaja, pero este progreso inverso es imposible.

En efecto, el gobierno no cambia jamás de forma sino cuando, gastados sus resortes, queda demasiado débil para conservar la que tiene. Ahora, si se relajase aun extendiéndose, su fuerza vendría a ser completamente nula y menos podría subsistir. Es preciso, pues, dar cuerda a los resortes a medida que se aflojan o ceden; de otra suerte el Estado se arruina.

25 La formación lenta y el progreso de la República de Venecia en sus lagunas ofrecen un ejemplo notable de esta sucesión, siendo muy sorprendente que después de más de mil doscientos años los venecianos parezcan estar aún en la segunda época, que comenzó con el *Serrar di Consiglio en 1198.* En cuanto a los antiguos duques que se les reprocha a pesar de todo lo que diga el *Squitinio della libertà veneta,* está probado que no fueron sus soberanos.

No faltará quien me objete como ejemplo la República Romana que siguió, se dirá, un camino contrario pasando de la monarquía a la aristocracia y de ésta a la democracia. Yo no opino así.

La primera forma de gobierno que estableció Rómulo fue mixta, la cual degeneró muy en breve en despotismo. Por causas particulares, el Estado pereció antes de tiempo, como muere un recién nacido antes de haber alcanzado la edad de la razón. La expulsión de los tarquinos fue la verdadera época del nacimiento de la República, pero no adquirió desde su comienzo una forma constante puesto que la obra quedó a medias al no abolir el patriciado. De esta manera, la aristocracia hereditaria, que es la peor de las administraciones legítimas, permaneció en conflicto constante con la democracia, y la forma del gobierno, siempre incierta y vacilante, no se hizo estable, como lo ha probado Maquiavelo, hasta el establecimiento de los tribunados, época en que hubo verdadero gobierno democrático. En efecto, el pueblo entonces era no sólo soberano, sino gobernante y juez; el Senado no era más que un tribunal subordinado para moderar y concentrar el gobierno, y los cónsules mismos, aunque patricios, magistrados y supremos generales en la guerra, sólo tenían en Roma el carácter de presidentes del pueblo.

Desde entonces se vio al gobierno obedeciendo a su inclinación natural y tendiendo resueltamente hacia la aristocracia. Aboliéndose el patriciado de por sí, la aristocracia dejó de existir en el cuerpo de los patricios como existe en Venecia y en Génova y se introdujo en el Senado, compuesto de éstos y de plebeyos, y aun en el cuerpo de los tribunos cuando éstos comenzaron a usurpar el poder activo. Las palabras no significan nada en el asunto, pues cuando el pueblo tiene jefes que gobiernan por él, llámeseles como se quiera, es siempre una aristocracia. Del abuso de la aristocracia nacieron las guerras civiles y el triunvirato. Sila, Julio César, Augusto, fueron verdaderos monarcas. Al fin, bajo el despotismo de Tiberio, el Estado se disolvió. La historia romana no desmiente el principio por mí establecido, lo confirma.

La disolución del Estado puede efectuarse de dos maneras: Primeramente, cuando el príncipe no administra el Estado de acuerdo con las leyes y usurpa el poder soberano. Entonces ocurre un cambio notable, pues no es el gobierno el que se concentra sino el Estado, es decir, éste se disuelve siendo reemplazado por los miembros del gobierno únicamente, el cual se convierte en dueño y tirano del pueblo. De suerte que, en el instante en que el gobierno usurpa la soberanía, el pacto social queda roto, y los ciudadanos, recobrando de derecho su libertad natural, están obligados por la fuerza, pero no por deber, a obedecer.

En segundo lugar, cuando los miembros del gobierno usurpan por separado el poder que deben ejercer en conjunto, infracción de las leyes no menor y que produce mayores desórdenes. En este caso, resultan tantos príncipes como magistrados, y el Estado, no menos dividido que el gobierno, perece o cambia de forma.

Cuando el Estado se disuelve, el abuso del gobierno, cualquiera que él sea, toma el nombre de *anarquía.* Distinguiendo: la democracia degenera en *oclocracia*, la aristocracia en *oligarquía,* y añadiré que la monarquía degenera en *tiranía.* Mas esta última palabra es equívoca y exige explicación.

En el sentido vulgar, tirano es el rey que gobierna con violencia y sin miramiento a la justicia ni a las leyes. En la acepción precisa del vocablo, tirano es un particular que se abroga la autoridad real sin derecho Así entendían los griegos la palabra tirano, aplicándola indistintamente a los príncipes buenos o malos cuya autoridad no era legítima.[26] *Tirano* y *usurpador* son, pues, perfectamente sinónimos.

26 *Omnes autem et dicuntur et habentur Tyranni, qui potestate sunt perpetua in ea Civitate quoe libertate usa est.* [En realidad se llaman tiranos a aquellos que se adueñan del poder y lo ejercen a perpetuidad en estados que antes gozaron de libertad] (Cornelio Neponte, en *Milcíade*). Es cierto que Aristóteles (*Moral a Nicomaco,* libro VIII, cap. X), distingue el tirano del rey, en que el primero gobierna para su propia utilidad y el segundo, para utilidad de sus súbditos; pero además de que, en general, todos los autores griegos han tomado la palabra *tirano* en otro sentido, como parece, sobre todo, por el *Hieron* de Jenofonte, se seguiría de la distinción de Aristóteles, que desde el principio del mundo, nunca ha existido un solo rey.

Para dar a cada cosa su calificativo, llamo *tirano* al usurpador de la autoridad real y *déspota* al usurpador del poder soberano. El tirano es el que se sitúa contra las leyes para gobernar según ellas; el déspota, el que las pisotea. Así, pues, el tirano puede no ser déspota, pero el déspota es siempre tirano.

Capítulo XI

DE LA MUERTE DEL CUERPO POLÍTICO

Tal es la inclinación natural e inevitable de todos los gobiernos, aun los mejores constituidos. Si Esparta y Roma perecieron, ¿qué Estado puede esperar existir perpetuamente? Si queremos fundar algo durable, no pensemos hacerlo eterno. Para que el éxito corone nuestros esfuerzos es preciso no intentar empresas imposibles ni lisonjearse de poder dar a las obras humanas una solidez que no está en los límites de la inteligencia del hombre.

El cuerpo político, como el cuerpo humano, comienza a morir desde su nacimiento, llevando en sí los gérmenes de su destrucción. Pero el uno y el otro pueden tener una constitución más o menos robusta y conservarse más o menos tiempo. La constitución humana es obra de la naturaleza, pero el organismo del Estado es obra del arte. No depende ni está en la facultad del hombre prolongar su vida, pero sí la del Estado, tanto como es posible, constituyéndolo del mejor modo. El que esté, pues, mejor constituido, perecerá, pero más tarde, si algún accidente imprevisto no acarrea su desaparición antes de tiempo.

El principio de la vida política reside en la autoridad soberana. El poder legislativo es el corazón del Estado; el ejecutivo el cerebro, que lleva el movimiento a todas las partes. El cerebro puede paralizarse y la vida continuar, pero tan pronto como el corazón cesa en sus funciones, aquélla se extingue.

El Estado no subsiste por las leyes, sino por el poder legislativo. La ley de ayer no es obligatoria hoy, pero del silencio se presume el consentimiento tácito, y el soberano debe confirmar incesantemente las leyes que no abroga pudiendo hacerlo. Todo lo que una vez ha declarado querer, lo quiere siempre, mientras no lo revoca.

Por esta misma razón se respetan tanto las leyes antiguas. Debe creerse que sólo debido a lo excelente de las voluntades que la inspiraron, han podido conservarse tanto tiempo, puesto que si no hubiesen sido reconocidas como siempre saludables, habrían sido revocadas millares de veces. He allí la razón por la cual, lejos de debilitarse, las leyes adquieren sin cesar nuevas fuerzas en todo Estado bien constituido. El prejuicio de la antigüedad las hace de día en día más venerables. Si se debilitan con el transcurso del tiempo, es prueba de que no hay poder legislativo y de que el Estado ha dejado de existir.

CAPÍTULO XII

CÓMO SE SOSTIENE LA AUTORIDAD SOBERANA

No teniendo la autoridad soberana otra fuerza que la del poder legislativo, no obra sino por medio de las leyes, y siendo éstos actos auténticos de la voluntad general, el soberano sólo puede proceder cuando el pueblo está reunido. El pueblo reunido, se dirá, ¡qué quimera! Lo será hoy; pero no lo era hace dos mil años. ¿Han cambiado, por ventura, los hombres de naturaleza?

Los límites de lo posible, en lo moral, son menos estrechos de lo que nos imaginamos: los reducen nuestras debilidades, nuestros vicios, nuestros prejuicios. Las almas bajas no conciben los grandes hombres. El vil esclavo sonríe con desprecio al oír la palabra libertad.

Por lo que se ha hecho consideramos lo que se puede hacer.

No hablaré de las antiguas repúblicas de Grecia, pero la república romana era, me parece, un gran Estado y Roma una gran ciudad. El último censo arrojaba cuatrocientos mil ciudadanos hábiles para la guerra, y el último del imperio más de cuatro millones, sin contar los esclavos, los extranjeros, las mujeres y los niños.

¡Qué de dificultades no habría para reunir frecuentemente el inmenso pueblo de esa capital y de sus alrededores! Sin embargo, el pueblo romano se reunía casi todas las semanas y en ocasiones más de una vez. No solamente ejercía los derechos de la soberanía, sino parte de los del gobierno. Trataba y conocía de ciertos asuntos, juzgaba ciertas causas, y todo ese pueblo era, ya magistrado, ya ciudadano.

Si nos remontamos a los primitivos tiempos de las naciones, encontraremos que la mayor parte de los gobiernos, hasta los monárquicos, tales como los de los macedonios y francos, tenían consejos semejantes. Sea de ello lo que fuere, este solo hecho incontestable soluciona todas las dificultades. Deducir lo posible de lo que existe, me parece consecuencia lógica.

Capítulo XIII

CONTINUACIÓN

No basta que el pueblo reunido haya fijado la constitución del Estado sancionando un cuerpo de leyes, ni que haya establecido un gobierno perpetuo, ni provisto una vez por todas a la elección de magistrados. Además de las asambleas extraordinarias que casos imprevistos pueden exigir, es preciso que tenga otras fijas y periódicas que no puedan ser abolidas ni prorrogadas, de tal suerte, que el día señalado el pueblo sea legítimamente convocado por la ley sin necesidad de ninguna otra formalidad.

Pero, fuera de esas asambleas jurídicas de fecha fija, toda otra en que el pueblo no haya sido convocado por los magistrados nombrados al efecto y según las formas prescritas, debe tenerse por ilegítima, y por nulo todo lo que en ella se haga, porque la orden misma de reunirse debe emanar de la ley.

En cuanto a las reuniones más o menos frecuentes de las asambleas legítimas, ellas dependen de consideraciones tantas, que es difícil señalar reglas precisas. Puede solamente decirse, en general, que mientras mayor fuerza posee el gobierno, con más frecuencia debe mostrarse el soberano.

Se me dirá que esta práctica puede ser buena tratándose de una sola ciudad; pero, ¿cómo hacer cuando el Estado comprende varias? ¿Se dividirá la soberanía o bien se concentrará ésta en una sola ciudad que subyugue a las demás? Respondo que ni lo uno ni lo otro. Primeramente, la soberanía, una y simple, no puede dividirse sin destruirla; en segundo lugar, una ciudad como una nación, no puede estar legítimamente sometida a otra, porque la esencia del cuerpo político reside en la ceremonia entre la obediencia y la libertad, y porque las palabras *súbdito* y *soberano* son correlaciones idénticas cuya idea está contenida en la de ciudadano.

Considero, además, que es siempre perjudicial unir varias ciudades en una sola y que, al querer hacer tal unión, es inútil pretender evitar los inconvenientes naturales que ella acarrea. No debe recordarse a los pueblos débiles el abuso de los grandes. Mas, ¿cómo dar a los pequeños Estados la fuerza suficiente para resistir a los grandes? De la misma manera que en otros tiempos las ciudades griegas resistieron al gran rey y como recientemente Holanda y Suiza han resistido a la casa de Austria.

En todo caso, si no puede reducirse el Estado a sus justos límites, queda todavía un recurso; prescindir de capital fija y establecer alternativamente el asiento del gobierno en todas las ciudades, reuniendo así por turno las diferentes provincias del país.

Poblad con igualdad el territorio, estableced idénticos derechos, llevad por todas partes la abundancia y la vida y el Estado llegará a ser el más fuerte a la vez que estará lo mejor gobernado posible. Acordaos que los muros de las ciudades no se construyen sino con los restos de las casas de campo. En cada palacio que veo elevar en la capital, paréceme contemplar los escombros de un país entero.

Capítulo XIV

CONTINUACIÓN

Desde el instante en que se reúne el pueblo legítimamente en cuerpo soberano, cesa toda jurisdicción del gobierno; el poder ejecutivo queda en suspenso y la persona del último ciudadano es tan sagrada e inviolable como la del primer magistrado, porque ante el representado desaparece el representante. La mayor parte de los tumultos que surgieron en los comicios de Roma, tuvieron por causa la ignorancia o el descuido de este principio. Los cónsules no eran entonces más que los presidentes del pueblo; los tribunos, simples oradores;[27] el Senado nada.

Estos intervalos de suspensión en los cuales el príncipe reconoce o debe reconocer un superior, han sido siempre temibles a todos. Esas asambleas del pueblo, que son égida del cuerpo político y freno del gobierno, han sido en todo tiempo miradas con honor por los jefes; de allí el que no economicen objeciones, dificultades ni promesas para desanimar a los ciudadanos en el ejercicio de ellas. Cuando éstos son avaros, viles o pusilánimes, más amantes del reposo que de la libertad, no resisten por mucho tiempo los esfuerzos redoblados del gobierno, siendo así como la fuerza resistente, que aumenta sin cesar, hace al fin desaparecer la soberanía y caer y perecer la mayor parte de las ciudades prematuramente.

Pero entre la autoridad soberana y el gobierno arbitrario se introduce algunas veces un poder medio del cual es preciso hablar.

27 Más o menos, según el sentido que se le da a esta palabra en el Parlamento de Inglaterra. La semejanza de estos cargos, hubiera puesto en conflicto a los cónsules y a los tribunos aun cuando hubiese sido suspendida toda jurisdicción.

CAPÍTULO XV

DE LOS DIPUTADOS O REPRESENTANTES

Tan pronto como el servicio público deja de constituir el principal cuidado de los ciudadanos, prefiriendo prestar sus bolsas a sus personas, el Estado está próximo a su ruina. Si es preciso combatir en su defensa, pagan soldados y se quedan en casa; si tienen que asistir a la asamblea, nombran diputados que los reemplacen. A fuerza de pereza y de dinero, tienen ejército para servir a la patria y representantes para venderla.

El tráfico del comercio y de las artes, el ávido interés del lucro, la molicie y el amor a las comodidades, sustituyen los servicios personales por el dinero. Sucede una parte de la ganancia para aumentarla con más facilidad. Dad dinero y pronto estaréis entre cadenas. La palabra *hacienda*, es palabra de esclavos; los ciudadanos la desconocen. En un país verdaderamente libre, éstos hacen todo de por sí, y lejos de pagar por exonerarse de sus deberes, antes pagarían por cumplirlos. Yo no profeso ideas vulgares: considero las jornadas de trabajo de los tiempos del feudalismo menos contrarias a la libertad que los impuestos.

Cuanto mejor constituido está un Estado, más superioridad tienen los negocios públicos sobre los privados, que disminuyen considerablemente, puesto que suministrando la suma de bienestar común una porción más cuantiosa al de cada individuo necesita buscar menos en los asuntos particulares. En una ciudad bien gobernada, todos vuelan y las asambleas; bajo un mal gobierno nadie da un paso para concurrir a ellas, ni se interesa por lo que allí se hace, puesto que se prevé que la voluntad general no dominará y que al fin los cuidados domésticos lo absorberán todo. Las buenas leyes traen otras mejores; las malas acarrean peores. Desde que al tratarse de los negocios del Estado, hay quien diga: ¿qué me importa? el Estado está perdido.

El entibiamiento del amor patrio, la actividad del interés privado, la inmensidad de los Estados, las conquistas, el abuso del gobierno, han abierto el camino para el envío de diputados o representantes del pueblo a las asambleas de la nación. A esto se ha dado en llamar en otros países el tercer Estado. Así, el interés particular de dos órdenes ha sido colocado en el primero y segundo rango; el interés público ocupa el tercero.

La soberanía no puede ser representada por la misma razón de ser inalienable; consiste esencialmente en la voluntad general y la voluntad no se representa: es una o es otra. Los diputados del pueblo, pues, no son ni pueden ser sus representantes, son únicamente sus comisarios y no pueden resolver nada definitivamente. Toda ley que el pueblo en persona no ratifica, es nula. El pueblo inglés piensa que es libre y se engaña: lo es solamente durante la elección de los miembros del Parlamento; tan pronto como éstos son elegidos, vuelve a ser esclavo, no es nada. El uso que hace de su libertad en los cortos momentos que la disfruta es tal, que bien merece perderla.

La idea de los representantes es moderna; nos viene del gobierno feudal, bajo cuyo sistema la especie humana se degrada y el hombre se deshonra. En las antiguas repúblicas, y aun en las monarquías, jamás el pueblo tuvo representantes. Es muy singular que en Roma, en donde los tribunos eran tan sagrados, no hubiesen siquiera imaginado que podían usurpar las funciones del pueblo, y que en medio de una tan grande multitud, no hubieran jamás intentado prescindir de un solo plebiscito. Y júzguese, sin embargo, de los obstáculos que a veces ocasionaba la turba, por lo que sucedió en tiempo de los Gracos, en que una parte de los ciudadanos votaba desde los tejados.

Donde el derecho y la libertad lo son todo, los inconvenientes no significan nada. En ese pueblo sabio todo estaba en su justa medida. Dejaba hacer a sus lictores lo que los tribunos no hubieran osado llevar a cabo, porque no temía que aquéllos quisieran ser sus representantes.

Para explicar, sin embargo, cómo los tribunos le representaban algunas veces, basta concebir la manera cómo el gobierno representa al soberano. No siendo la ley sino la declaración de la voluntad general, es claro que en el poder legislativo el pueblo no puede ser representado; pero puede y debe serlo en el poder ejecutivo, que no es otra cosa que la fuerza aplicada a la ley. Esto demuestra, si se examinan bien las cosas, que muy pocas naciones tienen verdaderas leyes. Sea lo que fuere, lo cierto es que no teniendo los tribunos ninguna participación en el poder ejecutivo, no pudieron nunca representar al pueblo romano por derecho de sus cargos, sino usurpando los del Senado.

Entre los griegos, el pueblo hacía por sí mismo todo cuanto tenía que hacer: estaba incesantemente reunido en la plaza pública. Habitaba un clima suave, no era codicioso, los trabajos estaban a cargo de los esclavos, su mayor cuidado, su principal objeto era la libertad. No teniendo las mismas ventajas, ¿cómo conservar los mismos derechos? Vuestros climas, más duros, crean más necesidades;[28] la plaza pública durante seis meses en el año es un sitio incómodo, vuestra voz apagada no puede hacerse oír al aire libre; dais más al lucro que a la libertad y teméis menos la esclavitud que la miseria.

¡Cómo! ¿Por ventura la libertad no puede conservarse sin el apoyo de la servidumbre? Tal vez. Los extremos se tocan. Todo lo que no es natural tiene sus inconvenientes, y la sociedad civil más que todo lo demás. Hay ciertas posiciones desgraciadas en las que la libertad no puede sostenerse sino a expensas de la de otro y en las cuales el ciudadano no puede ser perfectamente libre sin que el esclavo sea extremadamente esclavo. Tal era la situación de Esparta. Vosotros, pueblos modernos, no tenéis esclavos, vosotros lo sois: habéis comprado la libertad de ellos con la vuestra. Habéis ponderado mucho el mérito de esta preferencia, pero yo encuentro en ella más cobardía que humanidad.

28 Adoptar en los países fríos el lujo y la molicie de los orientales, es querer arrastrar sus cadenas y someterse necesariamente más que ellos.

No por esto presumo que deba haber esclavos ni que la esclavitud sea un derecho legítimo, puesto que he demostrado lo contrario. Expongo únicamente las razones por las cuales los pueblos modernos que se creen libres tienen representantes y por qué los antiguos no los tenían. Sea de ello lo que fuere, tan pronto como un pueblo se da representantes, deja de ser libre y de ser pueblo.

Bien examinado todo, no veo que sea posible en lo futuro que el soberano conserve entre nosotros el ejercicio de sus derechos, si la ciudad no es muy pequeña. Pero, siendo muy pequeña, ¿no será subyugada? No. Haré ver más adelante[29] cómo puede reunirse el poder exterior de un gran pueblo con la administración fácil y el buen orden de un pequeño Estado.

CAPÍTULO XVI

LA INSTITUCIÓN DEL GOBIERNO NO ES UN CONTRATO

Una vez bien establecido el poder legislativo, debe procederse a establecer de igual modo el ejecutivo, porque este último, que no obra sino por actos particulares, y que es de naturaleza distinta, debe estar separado de aquél. Si fuese posible que el soberano, considerado como tal, tuviese el poder ejecutivo, el derecho y el hecho serían de tal suerte confundidos, que no se podría saber lo que era una ley y lo que no era; y el cuerpo político, así desnaturalizado, sería en breve presa de la violencia contra la cual había sido instituido.

Siendo todos los ciudadanos iguales por el contrato social, todos pueden prescribir lo que es deber de todos, pero ninguno

29 Esto es lo que me había propuesto demostrar en la continuación de esta obra, cuando al tratar de las relaciones internacionales, hubiese llegado a las confederaciones, materia completamente nueva, cuyos principios están aún por establecer.

tiene el derecho de exigir a otro que haga lo que él no hace. Es éste propiamente el derecho, indispensable para la vida y movimiento del cuerpo político, y que el soberano otorga al príncipe al instruir el gobierno.

Muchos han pretendido que el acto de esta institución representa o constituye un contrato entre el pueblo y los jefes que se da, contrato en el cual se estipulan entre las dos partes condiciones por medio de las cuales la una se obliga a mandar y la otra a obedecer. Se convendrá, estoy seguro, en que es una extraña manera de contratar. Pero veamos si esta opinión es sostenible.

Primeramente, la autoridad suprema no puede modificarse como tampoco enajenarse; limitarla es destituirla. Es absurdo y contradictorio que el soberano se dé un superior; obligarse a obedecer a un dueño, es volver al estado de plena libertad. Además, es evidente que ese contrato del pueblo con tales o cuales personas sería un acto particular y, en consecuencia, no podría ser ley ni constituir acto de soberanía legítima.

Más aún; las partes contratantes estarían sujetas únicamente a la ley natural sin ninguna garantía para el cumplimiento de sus recíprocos compromisos, cosa que repugna a todas luces al estado civil, a menos que se parta del principio que el que posee la fuerza es dueño de imponer las condiciones, lo cual equivaldría a dar el nombre de contrato al acto de un individuo que dijera a otro: "Te hago cesión de todo cuanto poseo, a condición de que tú me devuelvas la parte que te plazca".

No hay más que un contrato en el Estado, que es el de la asociación, y éste excluye todos los demás. No podría celebrarse ninguno otro que no fuese una violación del primero.

Capítulo XVII

DE LA INSTITUCIÓN DEL GOBIERNO

¿Cómo debe, pues, considerarse el acto por el cual se instituye el gobierno? Observaré para comenzar, que este acto es complejo o que está compuesto de dos más: el establecimiento de la ley y su ejecución.

Por el primero, el soberano estatuye que habrá un cuerpo de gobierno establecido bajo tal o cual forma: este acto es evidentemente una ley. Por el segundo, el pueblo nombra los jefes que deben encargarse del gobierno establecido. Siendo este nombramiento un acto particular, no es una segunda ley, sino consecuencia de la primera y como tal una función del gobierno.

La dificultad estriba en comprender cómo puede haber un acto de gobierno antes de que éste exista, y cómo el pueblo, que no es sino soberano o súbdito, puede llegar a ser príncipe o magistrado en ciertas circunstancias.

Aquí se descubre una de esas sorprendentes propiedades del cuerpo político, por las cuales concilia operaciones contradictorias en apariencia, puesto que esto se efectúa por una súbita conversión de la soberanía en democracia, de suerte que, sin ningún cambio sensible y sólo por una nueva relación de todos a todos, los ciudadanos, convertidos en magistrados, pasan de los actos generales a los particulares y de la ley a la ejecución.

Este cambio de relación no es una sutileza de investigación sin ejemplo en la práctica: sucede todos los días en el Parlamento inglés, cuya cámara baja, en determinadas ocasiones, se convierte en gran comité para facilitar las deliberaciones, transformándose así, de corte suprema, en simple comisión, de tal suerte que se da cuenta a sí misma como Cámara de los Comunes, de lo que acaba de resolver como gran comité, y delibera de nuevo bajo un título lo que ya ha resuelto bajo otro.

Tal es la ventaja propia al gobierno democrático, la de poder ser establecido de hecho por un simple acto de la voluntad general. Después de lo cual, este gobierno provisional queda en propiedad si tal es la forma adoptada a establecer en nombre del soberano el prescrito por la ley. No es posible instituir el gobierno de ninguna otra manera legítima sin renunciar a los principios establecidos.

Capítulo XVIII

MEDIOS DE PREVENIR LA USURPACIÓN DEL GOBIERNO

De esta aclaración resulta, en conformación de lo dicho en el capítulo XVI, que el acto que instituye el gobierno no es un contrato, sino una ley; que los depositarios del poder ejecutivo no son los dueños del pueblo, sino sus funcionarios; que puede nombrarlos y destituirlos cuando le plazca; que no es de su incumbencia contratar, sino obedecer, y que al encargarse de las funciones que el Estado les impone, no hagan más que cumplir su deber de ciudadanos, sin tener ningún derecho para discutir sobre las condiciones.

Cuando acontece que el pueblo instituye un gobierno hereditario, ya sea monárquico en una familia, o aristocrático en un orden de ciudadanos, no es un compromiso el que adquiere: da una forma provisional a la administración hasta tanto que le plazca cambiarla.

Es verdad que estos cambios son siempre peligrosos y que no se debe tocar el gobierno establecido mientras no se haga incompatible con el bien público; pero esta circunspección es una máxima política y no un principio de derecho, y el Estado no está más obligado a abandonar la autoridad civil a sus jefes, que la autoridad militar a sus generales.

También es cierto que no se sabría observar en casos semejantes con el debido cuidado las formalidades requeridas para distinguir un acto regular y legítimo de un tumulto sedicioso, y la voluntad de todo un pueblo de los clamores de una facción. En estas emergencias sobre todo no debe concederse sino estrictamente lo que no pueda rehusarse en todo rigor de derecho. De esta obligación obtiene el príncipe una gran ventaja para conservar su poder a pesar del pueblo, sin que pueda decirse que lo ha usurpado, porque usando únicamente de sus derechos en apariencia, le es muy fácil extenderlos e impedir, so pretexto de que se turba el orden público, las asambleas destinadas a restablecerlo, de suerte que se prevale de un silencio que no permite que se rompa, o de irregularidades que él ha hecho cometer, para suponer en favor suyo el testimonio de los que el temor hace callar, y castigar a los que osan hablar. De esta manera fue cómo primero y prorrogado después su poder por otro más, intentaron retenerlo a perpetuidad no permitiendo la reunión de los comicios. Por este fácil medio todos los gobiernos del mundo, una vez que poseen la fuerza pública, usurpan tarde o temprano la autoridad soberana.

Las asambleas periódicas de que he hablado antes son convenientes para prevenir o diferir este mal, sobre todo cuando no necesitan convocatoria formal, porque entonces el príncipe no podría impedirlas sin declararse abiertamente como infractor de las leyes y enemigo del Estado.

La apertura de estas asambleas, que no tienen otro objeto que el sostenimiento del pacto social, debe efectuarse siempre con dos proporciones que no puedan nunca suprimirse y por las cuales debe votarse separadamente.

La primera: *Si es la voluntad del cuerpo soberano conservar la actual forma de gobierno.*

La segunda: *Si place al pueblo dejar la administración del gobierno a los actuales encargados de ella.*

Doy aquí por sentado lo que creo haber demostrado, a saber: que no existe en el Estado ninguna ley fundamental que no pueda revocarse, incluso el mismo pacto social, pues si todos los ciudadanos se reuniesen para romperlo de común acuerdo, es indudable que el acto sería legítimo. Grocio cree que cada cual puede renunciar al Estado del cual es miembro y recobrar su libertad natural y sus bienes, saliendo del país.[30] Luego, sería absurdo que todos los ciudadanos reunidos no pudiesen lo que puede separadamente cada uno de ellos.

30 Bien entendido que no se deje para eludir el deber y eximirse de servir a la patria en el momento en que tiene necesidad de nosotros. La huida entonces sería criminal y punible: no sería una retirada, sino una deserción.

LIBRO CUARTO

CAPÍTULO I

LA VOLUNTAD GENERAL ES INDESTRUCTIBLE

En tanto que varios hombres reunidos se consideran como un solo cuerpo, no tienen más que una sola voluntad relativa a la común conservación y al bien general. Entonces todos los resortes del Estado son vigorosos y sencillos, sus máximas claras y luminosas, no existe confusión de interés, ni contradicción; el bien común se muestra por todas partes con evidencia, sin exigir más que buen sentido para ser conocido. La paz, la unión, la igualdad, son enemigas de las sutilezas políticas. Los hombres rectos y sencillos son difíciles de engañar, a causa de su misma sencillez. Las añagazas ni las refinadas habilidades logran seducirles. Cuando se ve cómo en los pueblos más dichosos del mundo un montón de campesinos arreglaba bajo una encina los negocios del Estado, conduciéndose siempre sabiamente, ¿puede uno dejar de despreciar los refinamientos de otras naciones que se vuelven ilustres y miserables con tanto arte y tanto misterio?

Un Estado así gobernado necesita pocas leyes, y cuando se hace necesaria la promulgación de otras nuevas, tal necesidad es universalmente reconocida. El primero que las propone no hace más que interpretar el sentimiento de los demás, y sin intrigas ni elocuencia, pasa a ser ley lo que de antemano cada cual había resuelto hacer una vez seguro de que los demás harán como él.

La causa por la cual los razonadores se engañan, consiste en que no han visto más que Estados mal constituidos desde su origen, y por lo tanto se sorprenden de la posibilidad de mantener en ellos semejante política. Ríen al imaginar todas las tonterías con que un trapacero hábil o un charlatán hubiera sido capaz de persuadir al pueblo de París o Londres, y no saben que Cromwell habría sido encadenado por los berneses, y el duque de Beaufort llamado al orden por los ginebrinos.

Mas cuando los vínculos sociales comienzan a debilitarse y el Estado a languidecer; cuando los intereses particulares comienzan a hacerse sentir y las pequeñas sociedades a influir sobre la general, altérase el interés común y la unanimidad desaparece; la voluntad general no sintetiza ya la voluntad de todos; surgen contradicciones y debates y la opinión más sana encuentra contendientes.

En fin; cuando el Estado, próximo a su ruina sólo subsiste por una forma ilusoria y vana y el lazo social se ha roto en todos los corazones; cuando el vil interés se reviste descaradamente con el manto sagrado del bien público, entonces la voluntad general enmudece, todos, guiados por móviles secretos, opinan como ciudadanos de un Estado que jamás hubiese existido, permitiendo que pasen subrepticiamente bajo el nombre de leyes, decretos inicuos que tienen únicamente como objeto un interés particular.

¿Síguese de allí que la voluntad general se haya destruido o corrompido? En manera alguna: permanece constante, inalterable y pura, pero está subordinada a otras voluntades más poderosas que ella. Separando cada cual su interés del interés común, comprende que no puede hacerlo del todo, empero la porción de mal público que le corresponde, parécele poca cosa comparada con el bien exclusivo de que pretende hacerse dueño. Hasta cuando vende por dinero su voto, no extingue en sí la voluntad general, la elude. La falta que comete consiste en cambiar los términos de la proposición y contestar lo que no se le pregunta; de suerte que en vez de decir por medio del sufragio: "Es ventajoso para el Estado", dice: "Conviene a tal hombre o a tal partido que tal o cual cosa sea aceptada". Así la ley del orden público en las asambleas, no tiene tanto por objeto sostener la voluntad general, cuanto hacer que sea siempre consultada y que responda siempre a sus fines.

Podría hacer muchas reflexiones acerca del derecho de sufragio en todo acto de soberanía, derecho que nadie puede arrebatar a los ciudadanos, y sobre el de opinar, proponer, dividir y discutir, cuyo ejercicio el gobierno tiene siempre gran cuidado de no permitir más que a sus miembros; pero esta importante materia exige un tratado aparte y no puedo decir todo en el presente.

Capítulo II

DEL SUFRAGIO

Se ve, por el capítulo anterior, que la manera como se resuelvan los asuntos generales, puede dar un indicio bastante seguro acerca del estado actual de las costumbres y de la salud del cuerpo político. Cuanto más concierto reina en las asambleas, es decir, cuanto más unánimes son las opiniones, más dominante es la voluntad general; en tanto que los prolongados debates, las discusiones, el tumulto, son anuncio del ascendiente de los intereses particulares y por consiguiente, de la decadencia del Estado.

Esto parece menos evidente cuando dos o más órdenes entran en la constitución de las asambleas, como acontecía en Roma, donde las querellas entre patricios y plebeyos turbaban a menudo el orden, en los comicios, aun en los mejores tiempos de la República; pero esta excepción es más aparente que real, pues en aquellos tiempos, por vicio inherente al cuerpo político, existían, por decirlo así, dos Estados en uno. En los tiempos más borrascosos cuando el Senado no intervenía en ellos, los plebiscitos del pueblo pasaban siempre tranquilamente y con gran mayoría de votos, porque no teniendo los ciudadanos más que un solo interés, el pueblo no tenía más que una sola voluntad.

Por oposición, la unanimidad se restablece cuando los ciudadanos, esclavizados, carecen de libertad y de voluntad. Entonces el temor y la lisonja cambian en aclamaciones el sufragio; no se delibera; se adora o se maldice. Tal era la vil manera de votar del Senado bajo el imperio, tomando en ocasiones precauciones ridículas. Tácito cuenta que en tiempo de Otón los senadores colmaban de insultos a Vitelio, haciendo a la vez un ruido espantoso a fin de que si por casualidad llegaba a ser el amo, no pudiera saber lo que cada cual había dicho.

De estas consideraciones nacen los principios sobre los cuales debe reglamentarse la manera de computar los votos y comparar la opiniones según que la voluntad general sea más o menos fácil de conocer y el Estado esté más o menos en decadencia.

Sólo hay una ley que, por su naturaleza, exige el consentimiento unánime: la ley del pacto social, pues la asociación civil es el acto más voluntario de todos. Nacido todo hombre libre y dueño de sí mismo, nadie puede, bajo ningún pretexto, sojuzgarlo, sin su consentimiento. Decidir o declarar que el hijo de un esclavo nace esclavo, es declarar que no nace hombre.

Si, pues, el pacto social encuentra opositores, tal oposición no lo invalida, e implica solamente la exclusión de ellos, que serán considerados como extranjeros entre los ciudadanos. Instituido el Estado, la residencia es señal implícita del consentimiento habitar el territorio es someterse a la soberanía.[31]

Pero fuera de este contrato primitivo, la voz de la mayoría se impone siempre, como consecuencia de él. Mas, se preguntará: ¿cómo puede un hombre ser libre y estar al mismo tiempo obligado a someterse a una voluntad que no es la suya? ¿Cómo los opositores son libres y están sometidos a leyes a las cuales no han dado su consentimiento?

31 Esto debe entenderse siempre de un Estado libre, porque además de la familia, los bienes, la necesidad asilo, la violencia, pueden retener a un habitante en un país a pesar suyo, y entonces su resistencia no supone su consentimiento al contrato o la violación de él.

Respondo que la cuestión está mal planteada. El ciudadano consiente en todas las leyes, aun en aquellas sancionadas a pesar suyo y que le castiguen cuando ose violarlas. La voluntad constante de todos los miembros del Estado es la voluntad general; por ella son ciudadanos libres.[32] Cuando se propone una ley en las asambleas del pueblo, no se trata precisamente de conocer la opinión de cada uno de sus miembros y de si deben aprobarla o rechazarla, sino de saber si ella está de conformidad con la voluntad general, que es la de todos ellos.

Cada cual al dar su voto, emite su opinión, y del cómputo de ellos se deduce la declaración de la voluntad general. Si, pues, una opinión contraria a la mía prevalece, ello no prueba otra cosa sino que yo estaba equivocado y que lo que consideraba ser la voluntad general no lo era. Si por el contrario, mi opinión particular prevaleciese, habría hecho una cosa distinta de la deseada, que era la de someterme a la voluntad general.

Esto supuesto, es evidente que el carácter esencial de la voluntad general está en dar pluralidad; cuando ésta cesa, la libertad cesa, cualquiera que sea el partido que se tome.

Al demostrar anteriormente cómo se sustituyen voluntades particulares a la voluntad general en las deliberaciones públicas, he indicado suficientemente los medios practicables de prevenir este abuso. Más adelante hablaré aún de él. En cuanto al número proporcional de votos para la declaración de esta voluntad, también he expuesto los principios mediante los cuales se puede determinarle. La diferencia de un solo voto rompe la igualdad; un solo oponente destruye la unanimidad; pero entre la unanimidad y la igualdad hay varias divisiones desiguales, en cada una de las cuales se puede fijar este número según el estado y las necesidades del cuerpo político.

32 En Génova, se lee en las prisiones y en los hierros de sus galeotes la palabra: *Libertas.* La aplicación de esta divisa es bella y justa. En efecto, sólo los criminales impiden al ciudadano ser libre. En un país donde todas esas gentes estuvieran en galeras, se gozaría de la más perfecta libertad.

Dos principios generales pueden servir de regla a estas relaciones: el primero es que, cuanto más importantes y graves sean las deliberaciones, más unánime debe ser la opinión que prevalece; el segundo, que, mientras más prontitud exija la resolución del asunto que se debate, más debe reducirse la diferencia prescrita en la proporción de las opiniones. En las deliberaciones que es preciso terminar *in continenti,* el excedente de un solo voto es bastante. El primero de estos principios parece más conveniente a las leyes y el segundo a los asuntos. Sea como quiera, por medio de sus combinaciones se establecen las mejores relaciones de que puede disponer la mayoría para sus decisiones.

CAPÍTULO III

DE LAS ELECCIONES

Respecto a los nombramientos del príncipe y de magistrados, que son, como ya he dicho, actos complejos, hay dos maneras de proceder a ellos: por elección o por suerte. La una y la otra han sido empleadas en diversas repúblicas, y aún se usan actualmente combinadas en forma muy complicada, en la elección del dux de Venecia.

La elección por suerte, dice Montesquieu, es de naturaleza democrática. Convengo, pero, ¿cómo se efectúa? "La suerte –continúa el mismo expositor– es un medio de elegir que no mortifica a nadie, y que deja a cada ciudadano una esperanza razonable le servir a la patria." Estas no son razones.

Si se tiene en cuenta que la elección de jefes es una función del gobierno, no de la soberanía, se verá por qué el nombramiento por suerte es más de la naturaleza de la democracia, en la que la administración es tanto mejor cuanto menos se multiplican los actos.

En toda verdadera democracia, la magistratura no es una preferencia, sino una carga onerosa que no se puede imponer con justicia a un individuo más que a otro. Solamente la ley puede imponerla a quien la suerte designe, porque entonces, siendo la condición igual para todos, y no dependiendo la elección de la voluntad humana, no hay aplicación particular que altere la universalidad de la ley.

En la aristocracia, el príncipe elige al príncipe y el gobierno se conserva por sí mismo, siendo bien usado el derecho del sufragio.

El ejemplo de la elección del dux en Venecia, confirma esta distinción en vez de destruirla; la forma mixta conviene a un gobierno mixto como aquél, siendo un error considerarlo como una verdadera aristocracia. Si el pueblo no tiene participación alguna en el gobierno, la nobleza hace sus veces. ¿Cómo una multitud de pobres barnabotes habría podido jamás desempeñar ninguna magistratura, si apenas tiene de su nobleza el vano título de excelencia y el derecho de asistir al Gran Consejo? Este gran Consejo es tan numeroso como nuestro Consejo General en Ginebra, mas sus ilustres miembros no gozan de mayores privilegios que nuestros simples ciudadanos. Es cierto que, pasando por alto la extrema disparidad de las dos repúblicas, la burguesía de Ginebra representa exactamente el patriciado veneciano, nuestros naturales y habitantes, los ciudadanos y pueblos de Venecia, nuestros campesinos los súbditos de tierra firme; en fin, cualquiera que sea la manera como se considere esta república, excepción hecha de su grandeza, su gobierno no es más aristocrático que el nuestro. Toda la diferencia consiste en que no teniendo nosotros un jefe de por vida, los tenemos la misma necesidad de elegir por suerte.

Las elecciones por suerte tendrían pocos inconvenientes en una verdadera democracia, en la que, siendo todos iguales, tanto en costumbres y talentos, como en principios y fortuna, la selección sería casi indiferente. Pero ya he dicho que no existe una verdadera democracia.

Cuando el sufragio y la suerte se encuentran combinados, el primero debe emplearse en llenar los puestos que demandan talentos propios, tales como los empleos militares; la segunda conviene para proveer aquellos en que sólo se necesitan el buen sentido, la justicia, la integridad, tales como los cargos de la judicatura, porque en un Estado bien constituido estas cualidades son comunes a todos los ciudadanos.

Ni la elección por suerte ni el sufragio tienen cabida en el gobierno monárquico. Siendo el monarca de derecho único príncipe y magistrado, la elección de sus subalternos no corresponde más que a él. Cuando el abad de San Pedro propuso multiplicar los consejos del rey de Francia, eligiendo sus miembros por escrutinio, no pensó que proponía cambiar la forma de gobierno.

Réstame hablar de la manera de emitir y recoger los votos en las asambleas del pueblo, pero sobre este punto, tal vez la historia de la administración romana explique más sensiblemente los principios que yo podría establecer aquí. No es indigno de un lector juicioso conocer algo detalladamente la manera como se trataban los asuntos públicos y particulares en un consejo de doscientos mil hombres.

Capítulo IV

DE LOS COMICIOS ROMANOS

No tenemos ningún documento auténtico de los primeros tiempos de Roma, y aun probabilidades hay que la mayor parte de cuanto se dice de tales tiempos sea fábula,[33] faltándonos en general, la más instructiva en los anales de los pueblos o sea la historia de su constitución. La experiencia nos enseña diaria-

33 El nombre de Roma, que se pretende viene de *Rómulo*, es griego y significa *fuerza*, así como el de *Numa* que significa ley. ¡Qué casualidad que los dos primeros Reyes de esta gran ciudad, hayan llevado de antemano nombres tan en relaclón con sus hechos!

mente a conocer las causas que producen las revoluciones en los imperios, pero no tenemos otro medio de explicarnos la formación de los pueblos que por conjeturas.

Los usos que se han encontrado ya establecidos, atestiguan por lo menos que tuvieron un origen. Las tradiciones que se remontan a tales orígenes, las sostenidas por las más grandes autoridades y que las más sólidas razones confirman, deben pasar por las más verídicas. Basado en ellas, he tratado de investigar la manera cómo el más libre y poderoso pueblo de la tierra ejercía el poder supremo.

Después de la fundación de Roma, la república naciente, es decir, la armada del fundador, compuesta de albanos, de sabinos y de extranjeros, fue dividida en tres clases que tomaron el nombre de *tribus.* Cada una de estas tribus fue subdividida en diez curias y cada curia en decurias, a la cabeza de las cuales se colocaron jefes llamados *curiones y decuriones.*

Además, se sacó de cada tribu un cuerpo de cien caballeros, denominado centuria. Desde luego, puede observarse que estas divisiones, poco necesarias en una ciudad, eran netamente militares. Pero parece que un instinto de grandeza impulsaba a la pequeña Roma a darse una administración adecuada a la capital del mundo.

De esta primera división surgió en breve un inconveniente: las tribus de los albanos[34] y la de los sabinos[35] permanecieron en el mismo estado, en tanto que la de los extranjeros[36] crecía sin cesar por el concurso continuo de otros, no tardando en sobrepujar a las demás. Para remediar este peligroso abuso, Servio cambió la división, sustituyendo la de la raza, que abolió, por otra sacada de las ciudades ocupadas por cada tribu. En vez de tres tribus, hubo cuatro, cada una de las cuales ocupaba una de las colinas de Roma, llevando su nombre. De esta manera, remediando la desigualdad del presente, la previno para el por-

34 *Ramnenses.*
35 *Tatienses.*
36 *Luceres.*

venir, y a fin de que dicha división no fuese solamente de lugares, sino también de hombres, prohibió a los habitantes de un barrio pasar a otro, lo cual impidió que las razas se confundieran.

Aumentó también las tres antiguas centurias de caballería, creando doce más, pero siempre conservando los antiguos nombres; medio sencillo y prudente para establecer la distinción entre el cuerpo de los caballeros y el del pueblo, sin que este último se quejase. A esta cuatro tribus urbanas, Servio añadió otras quince, llamadas tribus rústicas, por estar formadas de habitantes del campo, divididas en cantones. Después creó otras tantas, quedando al fin el pueblo romano dividido en treinta y cinco tribus hasta el fin de la república.

Esta distinción entre las tribus de la ciudad y las del campo, produjo un efecto digno de notarse, por ser sin ejemplo, y al cual debió Roma a la vez la conservación de sus costumbres y el crecimiento de su imperio. Se creerá tal vez que las tribus urbanas se arrogaran en breve el poder y los honores y que no tardasen en esclavizar a las tribus rústicas, pero sucedió todo lo contrario. Se conoce la afición de los primeros romanos a la vida campestre, afición que les venía del sabio institutor que supo unir a la libertad los trabajos rústicos y militares, y relegar, por decirlo así, a la ciudad las artes, los oficios, la intriga, la fortuna y la esclavitud.

Así, todo lo que Roma tenía de ilustre, vivía en los campos cultivando la tierra, acostumbrados a buscar en ellos el sostenimiento de la república. Siendo esta manera de vivir la de los más dignos patricios, fue honrada por todo el mundo; la vida sencilla y laboriosa de los lugareños fue preferida a la vida ociosa y cobarde de los burgueses de Roma, de tal suerte que, el que no hubiera sido más que infeliz proletario en la ciudad, labrador en los campos, convertíase en un ciudadano respetado de todos. No sin razón, decía Varrón, nuestros magnánimos antecesores establecieron en la aldea ese plantel de robustos e intrépidos hombres que los defendían en tiempo de guerra y los alimentaban en tiem-po de paz. Plinio afirma que las tribus de los campos eran honradas a causa de los hombres que las componían, a la vez que como castigo o ignominia, se enviaban a las de la ciudad a los cobardes a quienes se quería envilecer. Habiendo venido a establecerse en Roma el sabino Apio Claudio, fue colmado de honores e inscrito en una de las tribus rústicas, que tomó en seguida el nombre de su familia. En fin, los libertos entraban todos en las tribus urbanas, jamás en las rurales, sin que se diera, durante el tiempo de la república, un solo caso en que uno de ellos llegara a ocupar la magistratura, aun cuando hubiese pasado a ser ciudadano.

Esta máxima era excelente, pero fue llevada tan lejos, que al fin produjo un cambio y evidentemente un abuso en la administración. Primeramente, los censores, después de haberse arrogado por largo tiempo el derecho de trasladar arbitrariamente a los ciudadanos de una tribu a otra, permitieron a la mayoría inscribirse en la que fuese de su gusto, permiso que seguramente no servía para nada y que suprimía uno de los grandes resortes de la censura. Además, haciéndose inscribir todos los grandes y poderosos en las tribus rústicas y los libertos convertidos en ciudadanos mezclados con el populacho de las urbanas, las tribus, en general, no tuvieron ya ni lugar ni territorio fijos, encontrándose de tal suerte confundidas, que no se podía distinguir a los miembros de cada una sino por los registros, pasando de este modo la idea de la palabra *tribu* de lo real a lo personal, o mejor dicho, llegó a ser casi una quimera.

Sucedió también que, siendo las tribus urbanas más accesibles a la generalidad, fueron a menudo las más fuertes en los comicios y vendieron el Estado a los que se dignaban comprar los votos de la canalla que las componía.

Con respecto a las curias, habiendo formado el institutor diez en cada tribu, todo el pueblo romano, encerrado dentro de los muros de la ciudad, encontróse compuesto de treinta, de las cuales cada una tenía sus templos, sus dioses, sus sacerdotes y sus fiestas llamadas *compitalia,* semejantes a las *paganalia,* que tuvieron después las tribus rústicas.

Con la nueva división de Servio, no pudiendo las treinta curias repartirse igualmente en las cuatro tribus, no quiso tocarlas, por lo que permanecieron independientes de ellas, constituyendo una nueva división de los habitantes de Roma. Esto no sucedió con las tribus rústicas, porque habiendo llegado a ser una institución puramente civil, y habiéndose introducido otro reglamento para la leva de las tropas, las divisiones militares de Rómulo resultaron superfluas. Así, aunque todo ciudadano fue inscrito en una tribu, estaba muy lejos de serlo en una curia.

Servio llevó a cabo una tercera división, que no tenía ninguna relación con las precedentes y que llegó a ser, por sus efectos, la más importante de todas. Distribuyó el pueblo romano en seis clases, sin distinción de lugar ni de personas y sólo basadas en los bienes; de suerte que las primeras clases las constituían los ricos, las últimas los pobres y las medianas los que disfrutaban de una fortuna mediocre. Estas seis clases fueron subdivididas en ciento noventa y tres cuerpos, llamados centurias, distribuidas de tal manera que la primera clase comprendía más de la mitad y la última formaba una sola. Resultó así que la clase menos numerosa en hombres, lo fue en centurias, y la última clase no formó más que una sola su división, si bien contenía más de la mitad de los habitantes de Roma.

A fin de que el pueblo se penetrase lo menos posible de las consecuencias de esta última reforma, Servio afectó darle un carácter militar, introduciendo en la segunda clase dos centurias de armeros y dos instrumentos de guerra en la cuarta. En cada clase, excepto en la última, distinguió a los jóvenes de los viejos; es decir, a aquellos que estaban obligados al servicio militar de los que por su edad estaban exentos por la ley, distinción que, más que la de los bienes, produjo la necesidad de repetir a menudo el censo o empadronamiento. Por último, quiso que la asamblea se reuniese en el campo de Marte y que todos aquellos que estaban en edad de servir, se presentasen con sus armas.

La razón por la cual en la última clase no hizo la misma división entre jóvenes y viejos, fue la de que al populacho, de la que estaba compuesta, no se le dispensaba el honor de portar las armas por la patria: era preciso tener hogares para obtener el derecho de defenderlos. De esas, innumerables bandas de holgazanes con que resplandecen hoy los ejércitos de los reyes, no hay tal vez uno que no hubiese sido arrojado con desprecio de una cohorte romana cuando los soldados eran verdaderos defensores de la libertad.

Sin embargo, en la última clase, se distinguieron *los proletarios* de los que llamaban *capite censi.* Los primeros, no reducidos del todo a la nulidad, daban al menos ciudadanos al Estado, y aun soldados en los casos de necesidad urgente. Los segundos, que carecían de todo y que sólo podían enumerarse por cabezas, no se les consideraba ni eran tenidos en cuenta para nada. Mario fue el primero que se dignó inscribirlos.

Sin examinar si este tercer empadronamiento era bueno o malo, creo poder afirmar que sólo las costumbres sencillas de los primitivos romanos, su desinterés, su amor por la agricultura, su desprecio por el comercio y por el lucro, podían hacerlo practicable. ¿Cuál es el pueblo moderno en el cual la devoradora codicia, el espíritu de inquietud, la intriga, las destituciones continuas, las constantes revoluciones en las fortunas, pueden dejar subsistir veinte años semejante institución sin trastornar por completo el Estado? Es preciso, sin embargo, observar que las costumbres y la censura, más fuertes que la misma institución, contribuyeron a corregir el vicio en Roma, viéndose ricos relegados a la clase de los pobres por haber hecho demasiada ostentación de su fortuna.

Puede fácilmente comprenderse por lo expuesto, la razón por la cual no se hace mención casi nunca más que de cinco clases, aun cuando realmente existían seis, pues no suministrando esta última ni soldados ni sufragantes al Campo de Marte,[37] era de muy poco uso en la república y rara vez se contaba con ella.

37 He dicho en el *Campo de Marte,* porque era allí en donde se reunían los comicios por centurias. En las otras dos divisiones, el pueblo se reunía en el *forum* o en otros sitios, y entonces los *capite censi* tenían tanta influencia y autoridad como los primeros ciudadanos.

Tales fueron las diferentes divisiones del pueblo romano. Veamos ahora el efecto que las mismas producían en las asambleas. Cuando éstas eran legítimamente convocadas, se llamaban *comicios,* y se reunían ordinariamente en la plaza de Roma o en el Campo de Marte, dividiéndose en comicios por curias, comicios por centurias y comicios por tribus, según las tres formas bajo las cuales estaban ordenadas. Los comicios por curias eran institución de Rómulo, los segundos de Servio y los últimos de los tribunos del pueblo. Ninguna ley era sancionada, ni electo ningún magistrado sino en los comicios; y como no había ciudadanos que no estuviesen inscritos en una curia, en una centuria o en una tribu, síguese de ello que nadie estaba excluido del sufragio, y que el pueblo romano era de hecho y de derecho verdaderamente soberano.

Para que los comicios estuviesen legítimamente constituidos y que sus trabajos tuviesen fuerza de ley, eran menester tres condiciones: la primera, que el cuerpo o magistrado que los convocase estuviese investido para ello de la autoridad necesaria; la segunda, que la reunión tuviera lugar un día autorizado por la ley, y la tercera, que los augurios fuesen favorables.

La primera prescripción se explica por sí sola; la segunda es cuestión puramente administrativa, siendo así como se prohibían los comicios los días de feria y de mercado en los que los campesinos que venían a Roma para hacer negocios, mal podían pasar el día en la plaza pública. En cuanto a la tercera, era un medio que tenía el Senado para contener ese pueblo arrogante y agitado, y calmar oportunamente el ímpetu de algunos tribunos sediciosos, si bien estos encontraban más de una ocasión para salvar tal inconveniente.

No eran las leyes y la elección de los jefes las únicas cuestiones tratadas en los comicios: habiéndose usurpado el pueblo romano las funciones más importantes del gobierno, podemos decir que los destinos de la Europa estaban en esa asamblea. Esta variedad de cargos y funciones explica las diferentes formas que tenían las asambleas, de acuerdo con los asuntos de que se tratase.

Para juzgarlas no tenemos sino que compararlas. Al instituir Rómulo las curias, tenía en mira contener el Senado con el pueblo y éste con aquél, para dominar sobre ambos. Dio, pues, al pueblo, bajo esta forma, toda la autoridad del número para contrapesar la del poder y la de la riqueza que dio a los patricios. Pero, según el espíritu monárquico, otorgó mayores ventajas a los patricios con la influencia de sus clientes sobre la pluralidad del sufragio. Esta admirable institución de patronos y de clientes fue una obra maestra de política y de humanidad, sin la cual el patriciado, tan contrario al espíritu republicano, no hubiera podido subsistir. Sólo Roma ha tenido el honor de dar al mundo este hermoso ejemplo, que no se presta jamás a abusos y que, sin embargo, no ha sido nunca imitado.

Habiendo subsistido esta misma forma de curias en tiempos del imperio hasta la época de Servio y no habiendo sido considerado el reinado del último de los Tarquinos como legítimo, las leyes reales fueron distinguidas generalmente con el nombre de *leges curiatae*.

Bajo la república, las curias, limitadas siempre a las cuatro tribus urbanas y compuestas únicamente del populacho de Roma, no podían convenir ni al Senado, que estaba a la cabeza de los patricios, ni a los tribunos, que aunque plebeyos estaban a la cabeza de los ciudadanos acomodados. Así, pues, cayeron en el descrédito, siendo su envilecimiento tal, que sus treinta lictores reunidos hacían lo que los comicios por curias debían hacer.

La división en centurias era tan favorable a la aristocracia, que no se comprende cómo el Senado no tuviese siempre la superioridad en los comicios que llevaban ese nombre y por los cuales eran elegidos los cónsules, los censores y los otros magistrados curiales. En efecto, de ciento noventa y tres centurias que formaban las seis clases del pueblo romano, la primera clase comprendía noventa y ocho, y como los votos no se contaban sino por centurias, esta sola clase tenía más votos que todas las demás. Cuando estas centurias estaban de acuerdo, ni siquiera se terminaba la votación: lo decidido por la minoría pasaba por decisión de la multitud, y puede decirse que en los comicios por centurias, los asuntos se arreglaban por mayoría de escudos más que por mayoría de votos.

Mas esta autoridad extrema era moderada de dos maneras: la primera, porque perteneciendo los tribunos generalmente, y siempre un gran número de plebeyos a la clase de los ricos, balanceaban el crédito de los patricios en esta primera clase; la segunda, consistía en que en vez de hacer votar las centurias por su orden, lo que habría exigido comenzar por la primera, se sacaba una a la suerte, y ésta[38] procedía a la elección, después de lo cual, todas las demás, convocadas otro día, según su rango, repetían la misma elección confirmándola ordinariamente. De este modo se arrebataba la autoridad del ejemplo al rango para darla a la suerte, de acuerdo con los principios de la democracia.

Este procedimiento tenía además la ventaja de dar tiempo a los ciudadanos del campo, de informarse, entre las dos elecciones, del mérito del candidato provisionalmente nombrado y poder emitir sus votos con conocimiento de causa. Pero, con el pretexto de obrar más prontamente, llegó a abolirse después de esta costumbre y las dos elecciones se efectuaban en un mismo día.

Los comicios por tribus eran propiamente el Consejo del pueblo romano. No eran convocados más que por los tribunos, éstos eran allí elegidos y allí celebraban sus plebiscitos. El Senado no solamente no tenía categoría alguna entre ellos, sino que carecía del derecho de asistir a sus reuniones, de modo que, obligados a obedecer a leyes que no habían podido sancionar, los senadores, desde este punto de vista eran menos libres que los últimos ciudadanos. Esta injusticia era mal entendida y bastaba por sí sola para invalidar los decretos de un cuerpo en el que no todos sus miembros eran admitidos. Aun cuando todos

38 Esta centuria sacada a la suerte, se llamaba *prae rogativa,* a causa de que era la primera a quien se le pedía el voto. De allí proviene la palabra prerrogativa.

los patricios hubiesen asistido a estos comicios, de acuerdo con el derecho que para ello tenían como ciudadanos, convertidos en simples particulares no habrían influido tal vez sobre una forma de sufragio en la que el más insignificante proletario tenía tanto poder como el presidente del Senado.

Se ve, pues, que además del orden que emanaba de estas diversas distribuciones para la adquisición de votos en un pueblo tan grande, ellas no se reducían a formas indiferentes en sí mismas, sino que cada una producía efectos en relación con las miras que las hacían preferir.

Sin entrar en más prolongados detalles, resulta de las aclaraciones precedentes, que los comicios por tribus eran más favorables al gobierno popular, y los por centurias a la aristocracia. En cuanto a los comicios por curias cuya pluralidad la formaba el populacho de Roma, como no eran favorables más que a la tiranía y a los malos designios, debieron caer en el descrédito, absteniéndose los mismos sediciosos de servirse de un medio que ponía muy en descubierto sus proyectos. Es cierto que toda la majestad del pueblo romano se encontraba en los comicios por tribus: el Senado y los patricios.

Respecto a la manera de votar, era entre los primitivos romanos tan sencilla como sus costumbres, si bien menos sencilla que en Esparta. Cada uno emitía su voto en alta voz y un escribano lo anotaba. La mayoría en cada tribu determinaba el sufragio del pueblo, y asimismo en las curias y centurias. Este sistema era bueno en tanto que la honradez reinara entre los ciudadanos, y mientras se avergonzaran de emitir públicamente sus votos en favor de una disposición injusta o de un sujeto indigno; pero cuando el pueblo se corrompió y se compraron los votos, fue menester que la elección se hiciera secreta para contener a los compradores por la desconfianza y evitar que los bribones degenerasen en traidores.

Sé que Cicerón condena este cambio y le atribuye en parte la ruina de la república. Pero, aun cuando reconozco la autoridad de Cicerón, no estoy de acuerdo con él en este punto. Creo, por el contrario, que por no haberse hecho suficientes y parecidas modificaciones, se aceleró la pérdida del Estado. Así como el régimen de las personas sanas no es propio a los enfermos, así tampoco debe pretenderse gobernar un pueblo corrompido bajo las mismas leyes con que se gobierna uno virtuoso. Nada comprueba mejor esta máxima que la duración de la república de Venecia, cuyo simulacro existe aún, únicamente porque sus leyes no convienen más que a perversos.

Distribuíanse, pues, entre los ciudadanos tabletas en las cuales cada uno podía votar sin que se conociese su opinión. Se establecieron también nuevas formalidades para recoger las tabletas, contar los votos y compararlos, etc., lo cual no impidió que la fidelidad de los encargados de tales funciones[39] infundiesen a menudo sospechas. Por último, para impedir la intriga y el tráfico de los votos, se dieron edictos cuya multitud demuestra su inutilidad.

Ya en los últimos tiempos fue menester recurrir a menudo a expedientes extraordinarios para suplir la deficiencia de las leyes. Unas veces se suponían prodigios, pero este medio, que podía imponer al pueblo, no tenía efecto alguno en los gobernantes; otras se convocaba bruscamente una asamblea sin que los candidatos tuviesen tiempo para preparar sus intrigas; otras se consumía toda una sesión hablando cuando se veía al pueblo seducido y dispuesto a tornar un mal partido. Pero, al fin, la ambición venció todas las dificultades, y ¡cosa increíble! en medio de tanto abuso, ese pueblo inmenso, gracias a sus antiguos reglamentos, no dejaba de elegir los magistrados, de examinar las leyes, de juzgar las causas, de despachar los negocios particulares y públicos casi con tanta facilidad como hubiera podido hacerlo el Senado mismo.

39 *Custodes, Distributores, Rogatores suffragiorum.*

CAPÍTULO V

DEL TRIBUNADO

Cuando no se puede establecer una exacta proporción entre las partes constitutivas del Estado, o cuando causas indestructibles alteran sin cesar sus relaciones, entonces se instituye una magistratura particular que sin formar cuerpo con las otras, repone cada término en su verdadera relación y establece una conexión o término medio, ya entre el príncipe y el pueblo, ya entre aquél y el soberano o entre ambas partes si es necesario.

Este cuerpo, que yo llamaré *tribunado,* es el conservador de las leyes y del poder legislativo, y sirve a veces para proteger al soberano contra el gobierno, como hacían en Roma los tribunos del pueblo; otras a sostener al gobierno contra el pueblo, como hace en Venecia el Consejo de los Diez; y otras a mantener el equilibrio entre una y otra parte, como lo hacían los éforos en Esparta.

El tribunado no es una parte constitutiva de la ciudad, ni debe tener participación alguna en el poder legislativo ni en el ejecutivo, pues en ello estriba el que el suyo sea mayor, toda vez que no pudiendo hacer nada, puede impedirlo todo. Es más sagrado y más reverenciado, como defensor de las leyes, que el príncipe que las ejecuta y el soberano que las da. Así se vio en Roma claramente, cuando aquellos orgullosos patricios, que despreciaban al pueblo entero, fueron obligados a inclinarse ante un simple funcionario del pueblo que no tenía auspicios ni jurisdicción.

El tribunado, sabiamente moderado, es el más firme sostén de una buena constitución; pero por poca fuerza que tenga de más, es bastante para que trastorne todo: la debilidad es ajena a su naturaleza, y con tal de que represente algo, nunca es menos de lo que necesita.

Degenera en tiranía cuando usurpa el poder ejecutivo, del cual es sólo moderador, y quiere disponer de las leyes que debe proteger. El enorme poder de los éforos, que existió sin daño, mientras Esparta conservó sus costumbres, aceleró la corrupción comenzada. La sangre de Agis, degollado por esos tiranos, fue vengada por su sucesor; el crimen y el castigo de los éforos apresuraron igualmente la pérdida de la república, y después de Cleómenes, Esparta dejó de existir. Roma pereció siguiendo el mismo camino; el poder excesivo de los tribunos, usurpado por grados, sirvió al fin, con la ayuda de las leyes hechas para la libertad, de salvaguardla a los emperadores que la destruyeron. Respecto al Consejo de los Diez, en Venecia, fue un tribunal de sangre, horrible tanto para los patricios como para el pueblo, y que lejos de proteger resueltamente las leyes, sólo sirvió, después de su envilecimiento, para descargar en las tinieblas golpes inauditos por su perversidad.

El tribunado, como el gobierno, se debilitan por la multiplicación de sus miembros. Cuando los tribunos del pueblo romano, primero en número de dos, después de cinco, quisieron doblar este número, el Senado se lo permitió, seguro de contener a los unos por medio de los otros, lo cual no dejó de suceder.

El mejor medio para prevenir las usurpaciones de tan temible cuerpo, medio que ningún gobierno ha descubierto hasta ahora, sería el de no hacerlo permanente, regulando los intervalos durante los cuales debe suprimirse. Estos intervalos, que no deben ser bastante prolongados que permitan al abuso consolidarse, pueden ser fijados por la ley, de manera que sea fácil acortarlos en caso de necesidad por comisiones extraordinarias.

Este medio me parece sin inconvenientes, porque, como ya he dicho, no formando parte el tribunado de la constitución, puede ser suprimido sin que ésta sufra, y paréceme eficaz porque un magistrado nuevo no obra teniendo como base el poder que tenía su antecesor, sino aquel que la ley le confiere.

CAPÍTULO VI

DE LA DICTADURA

La inflexibilidad de las leyes, que les impide someterse a los acontecimientos, puede, en ciertos casos, hacerlas perniciosas y causar la pérdida del Estado en momentos de crisis. El orden y la lentitud de la formas exigen un espacio de tiempo que las circunstancias rechazan a veces. Pueden presentarse mil casos que el legislador no ha previsto, siendo por lo mismo previsión muy necesaria reconocer que no puede todo preverse.

No debe pretenderse, pues, afirmar las instituciones políticas hasta el punto de perder el poder sus efectos. La misma Esparta dejó en la inacción sus leyes. Pero en casos de gravísimo peligro puede permitirse atentar contra el orden público, pues no debe jamás ponérsele trabas al sagrado poder de las leyes, sino cuando así lo exija la salud de la patria. En estos casos raros y manifiestos, se provee a la seguridad pública por un acto particular que entrega el cargo en manos del más digno. Esta comisión puede conferirse de dos maneras, según la clase de peligro.

Si para remediar el mal basta aumentar la actividad del gobierno, se le concentra en uno o dos de sus miembros: de esta suerte, no es la autoridad de la leyes la que se altera, sino la forma de la administración. Mas, si el peligro es tal que el aparato de las leyes constituye un obstáculo para dominarlo, entonces se nombra un jefe supremo que haga callar las leyes y suspenda temporalmente la autoridad soberana. En caso semejante, la voluntad general no puede ponerse en duda, porque es evidente que la primera intención del pueblo es la de que el Estado no perezca. La suspensión así de la autoridad legislativa no la deroga. El magistrado que la hace callar, no puede hacerla hablar; la domina sin representarla. Puede hacerlo todo menos dar leyes.

El primer medio se empleaba por el Senado romano cuando encargaba a los cónsules, por medio de una fórmula consagrada, para que providenciaran sobre la salvación de la república; el segundo tenía lugar cuando uno de los dos cónsules nombraba un dictador,[40] uso cuyo ejemplo habían dado a Roma los albanos.

En los comienzos de la república, se recurrió a menudo a la dictadura, porque el Estado no tenía todavía asiento fijo para poder sostenerse por la sola fuerza de su constitución.

Las costumbres hacían entonces superfluas muchas precauciones que hubieran sido necesarias en otro tiempo, a causa de que no se temía ni que un dictador abusara de su autoridad ni que intentase conservarla más allá del límite preciso. Parecía, por el contrario, que tan grande poder fuese una carga para aquel a quien se revestía de él, tanto así se apresuraba a deshacerse, como si fuera un puesto demasiado penoso y peligroso el de reemplazar las leyes.

No es, pues, el daño del abuso, sino el de envilecimiento el que me hace condenar el uso indiscreto de esta suprema magistratura en los primeros tiempos; porque mientras se prodigaba en las elecciones, en la consagración de iglesias, en cosas de pura formalidad, era de temer que fuese menos formidable en caso de necesidad, y que se acostumbrase a considerarla como un vano título que no se empleaba sino en inútiles ceremonias.

En los últimos tiempos de la república, los romanos más circunspectos reservaron la dictadura con tan poca razón como antes la habían prodigado. Fácil es ver que su temor era mal fundado, puesto que la debilidad de la capital le servía entonces de garantía contra los magistrados que tenía en su seno; porque un dictador podía, en ciertos casos, defender la libertad pública sin poder jamás atentar contra ella, y porque las cadenas de Roma no serían ya forjadas en Roma misma, sino por sus ejércitos. La poca resistencia que hicieron Mario y Pompeyo contra Sila y César, demostró bien lo que podía esperarse de la autoridad de dentro contra la fuerza de afuera.

40 Este nombramiento se hac;ia de noche y en secreto, como si se avergonzaran de poner a un hombre por encima de las leyes.

Este error les hizo cometer grandes faltas. Tal fue, por ejemplo, la de no haber nombrado un dictador cuando el asunto de Catilina, ya que sólo era cuestión circunscrita a la ciudad, o cuando más a alguna provincia de Italia, y que con la autoridad sin límites que las leyes otorgaban al dictador, habría sido fácil destruir la conjuración, que no fue sofocada sino por un concurso de felices contingencias que jamás debe esperar la prudencia humana.

En vez de esto, el Senado se contentó con conferir todo su poder a los cónsules, lo cual fue causa de que Cicerón, para obrar eficazmente, se viese constreñido a concentrar este poder en un punto capital, y de que, si en los primeros transportes de entusiasmo su conducta fue aprobada, después se le pidiese, con justicia, cuenta de la sangre de los ciudadanos derramada contra las leyes; reproche que no se hubiera podido hacer a un dictador. Mas la elocuencia del cónsul arrebató a todo el mundo; y él mismo, aunque romano, más amante de su gloria que de su patria, no buscó el medio más legítimo y seguro de salvar al Estado, sino el de tener toda la gloria en el acontecimiento.[41] Así, fue honrado con justicia como libertador de Roma, y justamente castigado como infractor de las leyes. Por lisonjero que fuese su llamamiento a la patria, es evidente que fue una gracia.

Por lo demás, cualquiera que sea la manera como se confiera esta importante comisión, conviene fijar su duración con un término muy corto e improrrogable. En las crisis en las cuales la dictadura se impone, el Estado perece o se salva en breve tiempo. Pasada la necesidad urgente, la dictadura conviértese en tiránica o inútil. En Roma, los dictadores, que eran nombrados por seis meses, abdicaban en su mayoría antes del término fijado. Si el plazo hubiera sido más largo, quizá hubiesen intentado prolongarlo como hicieron los decenviros hasta un año. El dictador no tenía tiempo más que para proveer a la necesidad que había impuesto su elección: crecía de él para pensar en otros proyectos.

41 Esto fue lo que no pudo prever, al no osar proponerse como dictador; y además, no estaba seguro de que su colega lo nombrase.

Capítulo VII

DE LA CENSURA

Del mismo modo que la declaración de la voluntad general se hace por la ley, la manifestación del juicio se efectúa por medio de la censura. La opinión pública es una especie de ley, cuyo ministro es el censor, que no hace más que aplicarla a los casos particulares a imitación del príncipe. Lejos, pues, de ser el tribunal censorial el árbitro de la opinión del pueblo, no es más que su órgano, y tan pronto como se descarría o se separa de este camino, sus decisiones son nulas y sin efecto.

No se pueden distinguir las costumbres de una nación de los objetos de su cariño, porque teniendo el mismo origen, confúndense necesariamente. En todos los pueblos del mundo, no es la naturaleza, sino la opinión la que decide de la elección de sus gustos o placeres. Enderezad las opiniones de los hombres y las costumbres se depurarán por sí mismas. Se ama siempre lo bello, o lo que se considera como tal; pero como este juicio puede inducir al error, debe tratarse de regularlo. Quien juzga de las costumbres, juzga del honor, y quien juzga del honor, toma su discernimiento de la opinión.

Las opiniones de un pueblo nacen de su constitución. Aunque la ley no regula las costumbres, la legislación le da el ser: cuando la legislación se debilita, las costumbres degeneran; y en tal caso el juicio de los censores no podrá hacer lo que no ha logrado la fuerza de las leyes. Síguese de allí que la censura puede ser útil para conservar las costumbres, jamás para restablecerlas. Estableced censores durante el vigor de las leyes; tan pronto como este vigor cesa, toda esperanza está perdida: nada que sea legítimo tiene fuerza cuando las leyes carecen de ella.

La censura sostiene las costumbres impidiendo que las opiniones se corrompan, conservando su rectitud por medio de sabias aplicaciones, y algunas veces, fijándolas cuando son aún inciertas. El uso de padrinos en los duelos, llevado hasta el furor en el reino de Francia, fue abolido por estas solas palabras de un edicto real: "En cuanto a los que tienen la cobardía de apelar a padrinos". Este juicio, anticipándose al del público, lo determinó de una vez. Pero cuando por medio de edictos semejantes, se quiso resolver que era también una cobardía batirse en duelo, cosa muy cierta, pero contraria a la opinión común, el público se burló de esta decisión, sobre la cual había ya formado su juicio.

He dicho en otro lugar[42] que, no estando la opinión pública sometida al encarcelamiento, no es menester que deje ningún vestigio en el tribunal establecido para representarla. No se admirará nunca lo bastante el arte con el cual este recurso, enteramente perdido entre los modernos, era puesto en juego por los romanos y mejor aún por los lacedemonios.

Habiendo un hombre de malas costumbres dado un buen dictamen en el Consejo de Esparta, los éforos, sin tomarlo en consideración, lo hicieron emitir por un ciudadano virtuoso. ¡Qué honor para el uno; qué afrenta para el otro, sin haber alabado aquél ni vituperado a éste! Ciertos borrachos de Samos[43] ensuciaron el tribunal de los éforos; al día siguiente, por edicto público, se permitió a los samienses ser villanos. Un verdadero castigo hubiera sido menos severo que semejante impunidad. Cuando Esparta había pronunciado su fallo sobre lo que era o no honradez, Grecia no apelaba de sus decisiones.

CAPÍTULO VIII

DE LA RELIGIÓN CIVIL

Los primeros reyes de los hombres fueron los dioses y su primera forma de gobierno la teocrática. Los hombres razonaban entonces como Calígula, y razonaban lógicamente. Es preciso

42 En este capítulo no hago más que indicar lo que en extenso he tratado en la *Lettre à M. d'Alembert.*

43 Eran de otra isla [Chio] que la delicadeza de nuestra lengua no me permite nombrar en esta ocasión (nota agregada a la edición de 1782).

una prolongada modificación de los sentimientos y de las ideas para poder resolverse a tener por jefe a un semejante, y sobre todo para lisonjearse estar de ello satisfecho.

Del hecho de colocar a Dios como jefe de toda sociedad política, dedúcese que ha habido tantos dioses como naciones, puesto que no es posible que dos pueblos extraños y casi siempre enemigos, pudiesen por mucho tiempo reconocer a un mismo jefe, como no podrían dos ejércitos que se baten obedecer al mismo general. Así pues, de las divisiones nacionales surgió el politeísmo y de éste la intolerancia teológica y civil que son en resumen una misma, como lo demostraré más adelante.

La presunción que tuvieron los griegos de reconocer sus dioses en los de los pueblos bárbaros, provino de la pretensión que también tenían de considerarse como los soberanos naturales de esos pueblos. Mas en nuestros días, es erudición bien ridícula, la que pretende establecer identidad entre los dioses de diversas naciones; como si Moloch, Saturno y Cronos pudiesen ser el mismo dios; como si el Baal de los fenicios, el Zeus de los griegos o el Júpiter de los latinos pudiesen ser el mismo; como si pudiese, en fin, existir algo común a dos seres fantásticos que llevan nombre diferente.

Si se me preguntase cómo, durante el paganismo, en el que cada Estado tenía su culto y sus dioses, no había guerras religiosas, respondería que justamente a causa de tener cada Estado su culto propio como su gobierno: no hacía distinción entre sus dioses y sus leyes. La guerra política era a la vez teológica; las atribuciones de los dioses estaban, por decirlo así, determinadas por los límites de las naciones. El dios de un pueblo no tenía ningún derecho sobre los otros pueblos. Los dioses de los paganos no eran dioses celosos, y se dividían entre sí el imperio del mundo. Moisés mismo y el pueblo hebreo aceptaban en ocasiones esta idea, al hablar del Dios de Israel. Consideraban, es cierto, como falsos los dioses de los cananeos, pueblos proscritos, consagrados a la destrucción, y a los cuales debían ellos sustituir; pero escuchad cómo se expresaban al hablar de las divinidades de los pueblos vecinos que les estaba prohibido atacar: "La posesión de lo que pertenece a Chamos, vuestro dios, decía Jephté a los ammonitas, ¿no se os debe legítimamente? Nosotros poseemos también con igual título las tierras que nuestro Dios vencedor ha adquirido".[44] Esto me parece que demuestra una igualdad bien reconocida entre los derechos de Chanos y los del Dios de Israel.

Pero cuando los judíos sometidos a los reyes de Babilonia y de Siria se obstinaron en no querer reconocer otro Dios que el suyo, tal repulsa, considerada como una rebelión contra el vencedor, les atrajo las persecuciones que registra su historia y de las cuales no existe ejemplo antes del Cristianismo.[45]

Estando, pues, cada religión ligada únicamente a las leyes del Estado que la prescribe, no había otra manera de convertir a un pueblo sino esclavizándolo, ni existían otros misioneros que los conquistadores; y como era obligación o ley de los vencidos cambiar de culto, era preciso vencer antes de hablar de él. Lejos de combatir los hombres por los dioses, eran éstos, como dice Homero, los que combatían por aquéllos; cada cual pedía al suyo la victoria, que le pagaba erigiéndole nuevos altares. Los romanos antes de tomar una plaza intimaban a sus dioses su abandono, y si dejaron a los tarentinos los suyos irritados, fue porque los consideraban sometidos a los de ellos y forzados a rendirles homenajes. Dejaban a los vencidos sus dioses como sus leyes, imponiéndoles como único tributo una corona para Júpiter Capitolino.

44 *Nonne ea quae possidet Chamos deus tuus, tibi jure debentur.* Tal es el texto de la Vulgata. El P. de Carrieres lo traduce asi: *No os creéis con derecho a poseer lo que pertenece a vuestro dios Chamos.* Ignoro la fuerza del texto hebreo, pero en la Vulgata veo que Jephté reconocía positivamente el derecho del dios Chamos, y que el traductor francés atenúa este reconocimiento por medio de un *selon vous* que no está en el texto latino.

45 Es absolutamente evidente que la guerra de los focios, llamada guerra sagrada, no fue una guerra de religión. Su objeto fue castigar los sacrilegios y no de someter a los incrédulos.

Por último, habiendo los romanos extendido su culto y sus dioses con el imperio, y adoptando a menudo los de los vencidos, concediendo a los unos y a los otros el derecho de ciudadanía, los pueblos de este vasto imperio se encontraron insensiblemente con multitud de dioses y de cultos que eran más o menos los mismos en todas partes. He allí cómo el paganismo llegó a ser en todo el mundo una y misma religión.

En tales circunstancias vino Jesucristo a establecer sobre la tierra un reino espiritual, el que, separando el sistema teológico del político, hizo que el Estado dejara de ser uno, causando las divisiones intestinas que no han cesado jamás de agitar a los pueblos cristianos. Esta nueva idea de un reino del otro mundo, no pudo jamás ser comprendida por los paganos, y de allí el que mirasen siempre a los cristianos como verdaderos rebeldes que, bajo el pretexto de una sumisión hipócrita, sólo buscaban el momento propicio para declararse independientes y dueños, usurpando hábilmente la autoridad que fingían respetar a causa de su debilidad. Tal fue el origen de las persecuciones.

Lo que los paganos habían temido llegó al fin. Todo cambió entonces de aspecto; los humildes cristianos cambiaron de lenguaje, y pronto se vio que ese pretendido reino del otro mundo se convertía, bajo un jefe visible, en el más violento despotismo sobre la tierra.

Sin embargo, como siempre ha existido un gobierno y leyes civiles, ha resultado de este doble poder un conflicto perpetuo de jurisdicción que ha hecho imposible toda buena organización política en los Estados cristianos, sin que se haya jamás podido saber a quién debe obedecerse, si al jefe o al sacerdote.

Con todo, muchos pueblos, aun en Europa o en sus alrededores, han querido conservar o restablecer el antiguo sistema, pero sin éxito: el espíritu del cristianismo lo ha conquistado todo. El culto sagrado ha permanecido siempre independiente del soberano y sin conexión necesaria con el cuerpo del Estado. Mahoma tuvo miras muy sanas; armonizó bien su sistema político, y mientras la forma de su gobierno subsistió bajo los califas, sus sucesores, tuvo perfecta unidad. Pero los árabes, florecientes, letrados, poltrones y cobardes, fueron subyugados por los bárbaros, comenzando de nuevo la división entre los dos poderes. Aun cuando sea menos aparente entre los mahometanos que entre los cristianos, ella existe sin embargo, sobre todo en la secta de Alí, habiendo Estados como el de Persia, en que no cesa de hacerse sentir.

Entre nosotros, los reyes de Inglaterra se han constituido en jefes de la Iglesia, al igual que los zares, pero a este título, se han convertido en ministros antes que en jefes, habiendo adquirido el poder de sostenerla sin tener el derecho de reformarla: no son legisladores, sino príncipes. En donde quiera que el clero forma cuerpo[46] es el amo y el legislador en su patria. Existen, pues, dos poderes, dos soberanos, en Inglaterra como en Rusia lo mismo que en otras partes.

De todos los autores cristianos, el filósofo Hobbes es el único que ha visto el mal y el remedio, y el único que ha osado proponer reunir las dos cabezas del águila, para realizar la unidad política sin la cual jamás Estado ni gobierno alguno será bien constituido. Pero ha debido ver que el espíritu dominador del cristianismo era incompatible con su sistema, y que el interés del sacerdote será siempre más fuerte que el del Estado. No es tanto por lo que hay de horrible y falso cuanto por lo que tiene de justo y verdadero, que se ha hecho odiosa su política.[47]

46 Debe observarse que éstos no constituyen asambleas formales como las de Francia, que ligan al clero en un cuerpo, como la comunión de las iglesias. La comunión y la excomunión son el pacto social del clero, pacto con el cual será siempre el amo de pueblos y de reyes. Todos los sacerdotes de una misma comunión son conciudadanos, aunque sean de países enteramente opuestos. Esta invención es una obra maestra en política. Nada semejante existía entre los sacerdotes paganos, por lo cual no formaron nunca un cuerpo clerical.

47 Véase, en otras, en una carta de Grocio a su hermano, del 11 de abril de 1643, lo que este sabio aprueba y condena en su libro *De Cive*. Es cierto que, inclinado a la indulgencia, parece perdonar al autor el bien por el mal; pero no todo el mundo es tan clemente.

Creo que desarrollando desde este punto de vista los hechos históricos, se refutan fácilmente las opiniones opuestas de Bayle y de Warburton, de las cuales, el uno pretende que ninguna religión es útil al cuerpo político, y el otro sostiene, por el contrario, que el cristianismo es su más firme sostén. Podría probarse al primero que jamás Estado alguno fue fundado, sin que la religión le sirviera de base; y al segundo, que la ley cristiana es en el fondo más perjudicial que útil a la fuerte constitución del Estado. Para acabar de hacerme entender, sólo me es necesario precisar algo más las ideas demasiado vagas de religión que se relacionan con mi tema.

La religión considerada en relación con la sociedad, que es general o particular, puede dividirse en dos especies: religión del hombre y religión del ciudadano. La primera sin templos, sin altares, sin ritos, limitada al culto puramente interior del Dios Supremo y a los deberes eternos de la moral, es la pura y sencilla religión del Evangelio, el verdadero teísmo, y que puede llamarse el derecho divino natural. La otra, inscrita en un solo país, le da dioses, patrones propios y tutelares; tiene sus dogmas, sus ritos, su culto exterior proscrito por las leyes. Fuera de la nación que la profesa, todo es para ella infiel, extraño, bárbaro; no extiende los deberes y los derechos del hombre más allá de sus altares. Tales han sido todas las religiones de los primeros pueblos, a las cuales puede darse el nombre de derecho divino civil o positivo.

Hay una tercera especie de religión más extravagante, que dando a los hombres dos legislaciones, dos jefes y dos patrias, los somete a deberes contradictorios, impidiéndoles poder ser a la vez devotos y ciudadanos. Tal es la religión de los lamas, tal la de los japoneses y tal el cristianismo romano. A ésta puede llamársele la religión del sacerdote. De ella resulta una especie de derecho mixto e insociable que no tiene nombre,

Consideradas políticamente estas tres clases de religiones, a todas se les encuentran sus defectos. La primera es tan evidentemente mala, que es perder el tiempo divertirse en demostrarlo. Todo lo que rompe la unidad social no vale nada; todas las instituciones que colocan al hombre en contradicción consigo mismo, carecen de valor.

La segunda es buena en cuanto que reconcilia el culto divino con el amor a las leyes, y haciendo de la patria el objeto de adoración de los ciudadanos, les enseña que servir al Estado es servir al dios tutelar. Es una especie de teocracia, en la cual no debe haber otro pontífice que el príncipe, ni más sacerdotes que los magistrados. Entonces, morir por la patria, es alcanzar el martirio; violar las leyes, ser impío; y someter un culpable a la execración pública, consagrarlo a la cólera de los dioses: *Sacer estod.*

Pero es mala en cuanto que, estando fundada en el error y la mentira, engaña a los hombres, los vuelve crédulos, supersticiosos y ahoga al verdadero culto de la Divinidad en un vano ceremonial. Es también mala en cuanto que, llegando a ser exclusiva y tiránica, hace a un pueblo sanguinario e intolerante, que no respira más que matanza y carnicería, creyendo consumar una acción santa matando al que no admite sus dioses. Esto coloca a un pueblo en estado de guerra con los demás, cosa muy perjudicial para su propia seguridad.

Queda la religión del hombre, o el cristianismo, no el actual, sino el del Evangelio, que es completamente diferente. Por esta religión santa, sublime, verdadera, los hombres, hijos del mismo Dios, se reconocen todos por hermanos, siendo la misma muerte importante para disolver los lazos que los une. Mas esta religión, sin relación alguna particular con el cuerpo político, deja a las leyes la sola fuerza que de ellas emana sin añadir otra alguna, resultando sin efecto uno de los grandes vínculos de la sociedad particular. Además, lejos de ligar los corazones de los ciudadanos al Estado, los separa de él como de todas las cosas de la tierra. No conozco nada más contrario al espíritu social.

Se nos dice que un pueblo de verdadero cristianismo formará la sociedad más perfecta que pueda imaginarse. Yo no veo en esta suposición más que una gran dificultad: la de que una sociedad de verdaderos cristianos no sería una sociedad de hombres.

Afirmo además que tal sociedad supuesta, no sería, con toda

su perfección, ni la más fuerte ni la más duradera, porque a fuerza de ser perfecta carecería de unión: su vicio destructor sería su propia perfección.

Cada cual cumpliría sus deberes, el pueblo sería sumiso a las leyes, los jefes serían justos y moderados, los magistrados íntegros e incorruptibles, los soldados despreciarían la muerte, no habría vanidad ni lujo: todo esto sería muy bueno, pero vayamos un poco más lejos.

El cristianismo es una religión enteramente espiritual, ocupada únicamente en las cosas del cielo; la patria del cristiano no es de este mundo. Cumple con su deber, es verdad, pero con una profunda indiferencia por el buen o el mal éxito de sus desvelos. Con tal de que no tenga nada que reprocharse, poco le importa que todo vaya bien o mal aquí abajo. Si el Estado florece, apenas si usa gozar de la felicidad pública; teme enorgullecerse con la gloria de su país; si el Estado perece, bendice la mano de Dios que pesa sobre su pueblo.

Para que la sociedad fuese apacible y pacífica y que la armonía se mantuviese, sería preciso que todos los ciudadanos sin excepción fuesen igualmente buenos cristianos, porque si desgraciadamente se encuentra un solo ambicioso, un solo hipócrita, un Catilina; un Cromwell, éstos harán un buen negocio con sus piadosos compatriotas. La caridad cristiana no permite pensar mal del prójimo. Desde que uno haya encontrado por medio de cualquiera astucia el arte de imponerse y de apoderarse de una parte de la autoridad pública he allí un hombre constituido en alta dignidad; Dios quiere que se le respete; si surge un poder cualquiera, Dios ordena que se le obedezca. Si el depositario de este poder abusa de él, es la vara de Dios que castiga a sus hijos. Sería un cargo de conciencia expulsar al usurpador: habría necesidad de turbar la tranquilidad pública, usar de la violencia, verter sangre, todo lo cual se aviene mal con la dulzura del cristiano. Y después de todo, ¿qué importa ser libre o siervo en este valle de miserias? Lo esencial es ir al Paraíso y la resignación es un medio más para conseguirlo.

Si sobreviniera una guerra internacional, los ciudadanos marcharían sin pena al combate; nadie pensaría en huir, todos cumplirían con su deber, pero sin amor a la victoria: sabrían morir mejor que vencer. Que sean vencedores o vencidos, ¿qué importa? La Providencia, ¿no sabe mejor que ellos lo que necesitan? ¡Imagínese qué partido puede sacar un enemigo impetuoso y apasionado de semejante estoicismo! Poned frente a frente de ellos a esos pueblos generosos, devorados por el ardiente amor de la gloria y de la patria; suponed vuestra república cristiana enfrente de Esparta o de Roma: los piadosos cristianos serían batidos, despachurrados, destruidos, antes de haber tenido tiempo de reconocerse, o deberían su salvación al desprecio que sus enemigos concibieran por ellos. Hermoso juramento el que prestaron los soldados de Fabio: no juraron vencer o morir, sino volver vencedores, cumpliendo su juramento. Jamás los cristianos habrían hecho uno semejante: habrían creído tentar a Dios.

Pero me engaño al decir república cristiana: cada una de estas palabras excluye a la otra. El cristianismo no predica más que la esclavitud y la dependencia. Su espíritu es demasiado favorable a la tiranía para que no medre de ella siempre. Los verdaderos cristianos están hechos para ser esclavos; ellos lo saben pero no se inquietan, porque esta vida corta y deleznable tiene muy poco valor a sus ojos.

Dícese que las tropas cristianas son excelentes. Y lo niego; que se me muestren; no conozco tropas cristianas. Se me citarán las cruzadas, mas sin disputar sobre su valor, observaré que, lejos de ser cristianos, esos soldados eran soldados del sacerdote, ciudadanos de la iglesia, que se batían por su país espiritual. Bien mirado, esto era paganismo más que otra cosa, pues como el cristianismo no establece religión nacional, toda guerra sagrada es imposible entre los cristianos.

Bajo los emperadores paganos, los soldados cristianos eran valientes; todos los autores lo aseguran y yo lo creo: era una emulación de honor con las tropas paganas. Desde que los emperadores fueron cristianos, dejó de subsistir esta emulación, desapareciendo todo el valor romano cuando la cruz reemplazó al águila.

Mas, dejando aparte las consideraciones políticas, volvamos al terreno del derecho y fijemos los principios sobre este importante asunto. El derecho que el pacto social otorga al soberano sobre los súbditos, no traspasa, como he dicho ya, los límites de la utilidad pública.[48] Los súbditos no deben, por lo tanto, dar cuenta al soberano de sus opiniones sino cuando éstas importen a la comunidad. Ahora, conviene al Estado que todo ciudadano profese una religión que le haga amar sus deberes; pero los dogmas de esta religión no interesan ni al Estado ni a sus miembros, sino en cuanto se relacionen con la moral y con los deberes que aquel que la profesa está obligado a cumplir para con los demás. Cada cual puede tener las opiniones que le plazca, sin que incumba al soberano conocerlas, porque no es de su competencia la suerte de los súbditos en la otra vida, con tal de que sean buenos ciudadanos en ésta.

Existe, pues, una profesión de fe puramente civil, cuyos artículos deben ser fijados por el soberano, no precisamente como dogma de religión, sino como sentimientos de sociabilidad sin los cuales es imposible ser buen ciudadano ni súbdito fiel.[49] Sin poder obligar a nadie a creer en ellos, puede expulsar del Estado a quien quiera que no los admita o acepte; puede expulsarlo, no como impío, sino como insociable, como incapaz de amar sin-

48 "En la República –dice el marqués d'Argenson–, cada uno es perfectamente libre en lo que no perjudica a los demás." He allí el límite invariable; no podría fijársele con más exactitud. No he podido rehusarme el placer de citar en ocasiones este manuscrito. desconocido del público, para honrar la memoria de un hombre ilustre y respetable que conservó hasta en el ministerio el corazón de un verdadero ciudadano, y miras rectas y sanas para con el gobierno de su país.

49 César, defendiendo a Catilina, trataba de establecer el dogma de la inmortalidad del alma. Catón y Cicerón, para refutarlo, no perdieron el tiempo filosofando; se contentaron con demostrar que el lenguaje de César era de un mal ciudadano y que anticipaba una doctrina perniciosa para el Estado. En efecto, de esto era de lo que debía juzgar el Senado de Roma y no de una cuestión de teología.

ceramente las leyes, la justicia y de inmolar, en caso necesario, su vida en aras del deber. Si alguno, después de haber reconocido públicamente estos dogmas, se conduce como si no los creyese, castíguesele con la muerte: ha cometido el mayor de los crímenes, ha mentido delante de las leyes.

Los dogmas de la religión civil deben ser sencillos, en número reducido, enunciados con precisión, sin explicaciones ni comentarios. La existencia de la Divinidad poderosa, inteligente, bienhechora, previsora y providente, la vida futura, la felicidad de los justos, el castigo de los malvados, la santidad del contrato y de las leyes: he allí los dogmas positivos. En cuanto los negativos los limito a uno solo: la intolerancia, que forma parte de todos los cultos que hemos excluido.

Los que distinguen la intolerancia civil de la teológica, se engañan, en mi sentir. Estas dos intolerancias son inseparables. Es imposible vivir en paz con gentes que se consideran condenadas; amarlas, sería odiar a Dios que los castiga: es absolutamente necesario convertirlas o atormentarlas. En donde quiera que la intolerancia teológica es admitida, es imposible que deje de surtir efectos civiles,[50] y tan pronto como los surte, el soberano deja de serlo aun en lo temporal: los sacerdotes conviértense en los dueños; los reyes no son más que sus funcionarios.

50 El matrimonio, por ejemplo, siendo un contrato civil, tiene efectos civiles, sin los cuales es hasta imposible que la sociedad subsista. Supongamos pues, que el clero llegue a atribuirse exclusivamente el derecho de autorizar este acto, derecho que debe necesariamente usurparse en toda religión intolerante, ¿no es evidente que haciendo valer en la ocasión precisa la autoridad de la Iglesia, anulará la del príncipe que no tendrá más súbditos que los que el clero quiera darle? Dueño de casar o no a las gentes, según que profesen o no tal o cual doctrina, según que admitan o rechacen tal o cual formulario, y según su mayor o menor devoción, conduciéndose prudentemente y sosteniéndose, ¿no es claro que dispondrá de las herencias, de los cargos, de los ciudadanos, del Estado mismo, que no podría subsistir componiéndose sólo de bastardos? Pero, se dirá, eso es un abuso y se decretará, se secuestrará el poder temporal. ¡Qué piedad! El clero, por poco que tenga, no digo de valor, sino de buen sentido, dejará hacer continuando impávido; dejará tranquilamente apelar contra él, aplazar, decretar, y secuestrar, terminando por permanecer siendo el dueño. No es un sacrificio, a mi modo de ver, abandonar o ceder una parte, cuando se está seguro de apoderarse de todo.

Hoy que no hay ni puede haber religión nacional exclusiva, deben tolerarse todas aquellas que toleran a las demás, en tanto que sus dogmas no sean contrarios en nada a los deberes del ciudadano. Pero el que ose decir: *Fuera de la Iglesia no hay salvación,* debe ser arrojado del Estado, a menos que el Estado sea la Iglesia y el príncipe el pontífice.

Tal dogma sólo es bueno en un gobierno teocrático; en cualquiera otro es pernicioso. La razón por la cual se dice que Enrique IV abrazó la religión romana, debía hacérsela abandonar a todo hombre honrado, y sobre todo a todo príncipe que se preciara de juicioso.*

Capítulo IX

CONCLUSIÓN

Después de haber expuesto los verdaderos principios del derecho político y de tratar de fundar el Estado sobre su base, faltaría apoyarlo por medio de sus relaciones exteriores, lo que comprendería el derecho de gentes de comercio, de guerra y de conquista, el derecho público, las ligas o alianzas, las negociaciones y los tratados, etc., etcétera.

Pero todo esto forma una nueva materia demasiado extensa para mis escasas facultades. He debido tenerla siempre presente

* Rousseau alude en este párrafo a las palabras atribuidas a Enrique IV poco ante de abjurar el protestantismo en 1593; palabras consignadas por el obispo Hardouin de Péréfixe en su *Historia del Rey Enrique el Grande.* París, 1661.

«Cuenta un historiador que habiendo un rey ordenado una conferencia en su presencia por doctores de las dos iglesias, uno de sus ministros dijo que bien podía uno salvarse de dentro de la religión católica, a lo cual respondió el monarca "¡Cómo!, ¿vos pretendéis que se puede uno salvar en la religión de esas gentes?" El ministro contestó que ello era posible con tal que se llevase una vida ordenada. Él replicó muy acertadamente: "La prudencia me aconseja. pues, que abrace su religión y no la vuestra, ya que así me consideraré salvo ante ellos y ante vosotros mismos, al paso que adoptando la vuestra, sólo me salvaría ante vosotros. Ahora bien la prudencia exige que sigamos el camino más seguro".» (*N. del T.*)

ÍNDICE

LIBRO TERCERO

LIBRO CUARTO